Periodonto

| 제2판 |

치주과학 실습지침서

치주과학 실습지침서 | 제2판 |

첫 째 판 1쇄 발행 | 2009년 8월 5일
둘 째 판 1쇄 인쇄 | 2016년 8월 10일
둘 째 판 1쇄 발행 | 2016년 8월 19일
둘 째 판 2쇄 발행 | 2017년 9월 5일
둘 째 판 3쇄 발행 | 2020년 2월 13일
둘 째 판 4쇄 발행 | 2022년 2월 23일

지 은 이 전국치주과학교수협의회
발 행 인 장주연
출 판 기 획 임덕영
표지디자인 이상희
편집디자인 김영선
일 러 스 트 유학영
발 행 처 군자출판사(주)
등록 제 4-139호(1991. 6. 24)
(10881) **파주출판단지** 경기도 파주시 회동길 338(서패동 474-1)
전화 (031)943-1888 팩스 (031)955-9545
www.koonja.co.kr

ISBN 979-11-5955-072-0
정가 30,000원

(가나다순) | 집필진

강경리 경희대학교 치의학전문대학원 치주과학교실
구 영 서울대학교 치의학대학원 치주과학교실
구기태 서울대학교 치의학대학원 치주과학교실
김병옥 조선대학교 치의학대학원 치주과학교실
김성조 부산대학교 치의학전문대학원 치주과학교실
김성태 서울대학교 치의학대학원 치주과학교실
김영준 전남대학교 치의학전문대학원 치주과학교실
김옥수 전남대학교 치의학전문대학원 치주과학교실
김용건 경북대학교 치의학전문대학원 치주과학교실
김윤상 원광대학교 치과대학 치주과학교실
김창성 연세대학교 치과대학 치주과학교실
김태일 서울대학교 치의학대학원 치주과학교실
류인철 서울대학교 치의학대학원 치주과학교실
문익상 연세대학교 치과대학 치주과학교실
박정철 단국대학교 치과대학 치주과학교실
박준봉 경희대학교 치의학전문대학원 치주과학교실
박진우 경북대학교 치의학전문대학원 치주과학교실
서조영 경북대학교 치의학전문대학원 치주과학교실
설양조 서울대학교 치의학대학원 치주과학교실
신승윤 경희대학교 치의학전문대학원 치주과학교실
신승일 경희대학교 치의학전문대학원 치주과학교실
신현승 단국대학교 치과대학 치주과학교실
엄흥식 강릉원주대학교 치과대학 치주과학교실
유상준 조선대학교 치의학대학원 치주과학교실
유형근 원광대학교 치과대학 치주과학교실
윤정호 전북대학교 치의학전문대학원 치주과학교실
이동원 연세대학교 치과대학 치주과학교실
이용무 서울대학교 치의학대학원 치주과학교실
이재관 강릉원주대학교 치과대학 치주과학교실
이재목 경북대학교 치의학전문대학원 치주과학교실
이주연 부산대학교 치의학전문대학원 치주과학교실
이중석 연세대학교 치과대학 치주과학교실
장문택 전북대학교 치의학전문대학원 치주과학교실
장범석 강릉원주대학교 치과대학 치주과학교실
장희영 원광대학교 치과대학 치주과학교실
정성념 원광대학교 치과대학 치주과학교실
정의원 연세대학교 치과대학 치주과학교실
정종혁 경희대학교 치의학전문대학원 치주과학교실
정현주 전남대학교 치의학전문대학원 치주과학교실
조규성 연세대학교 치과대학 치주과학교실
채중규 연세대학교 치과대학 치주과학교실
최성호 연세대학교 치과대학 치주과학교실
최점일 부산대학교 치의학전문대학원 치주과학교실
피성희 원광대학교 치과대학 치주과학교실
허 익 경희대학교 치의학대학원 치주과학교실
허석모 전북대학교 치의학전문대학원 치주과학교실

전국치주과학교수협의회 교과서편집위원회 위원

위원장 **최성호** 연세대학교
간 사 **설양조** 서울대학교 / **이중석** 연세대학교

위 원
김성태 서울대학교
김용건 경북대학교
박정철 단국대학교
신승윤 경희대학교
유상준 조선대학교
이재관 강릉원주대학교
이주연 부산대학교
정성념 원광대학교
정종혁 경희대학교
허석모 전북대학교

머리말 | 제2판

전국치주과학교수협의회에서는 치의학과 학부과정에서의 표준화된 치주과학 실습을 통해 일정 수준이상의 임상 수기능력을 갖춘 치과의사를 양성하기 위한 노력의 일환으로 '치주과학 실습지침서'를 2009년에 출간한 바 있습니다. 오늘날 의료분야를 포함한 과학기술은 매우 급속히 발달하고 있으며 인구고령화 등 의료환경 또한 급변하고 있습니다. 이에 초판 발간 이후 이루어진 치주과학 분야의 발전을 반영하고, 치과의사 국가시험에 실기시험 도입이라는 제도적 변화에 부응하기 위해, 이번에 실습지침서를 보완하여 개정하게 되었습니다.

환자 상담/진단부터 유지관리에 이르기까지 치주과 영역의 실제 임상현장에서 갖춰야 할 수행능력을 망라하여 새로운 책을 발간하는 마음으로 개정에 만전을 기하였습니다. 아무쪼록 이 실습지침서 개정판이 미래사회가 요구하는 창의적인 역량의 치과의사를 양성하여 국민 구강보건서비스의 질을 향상시키는데 있어 주춧돌이 되기를 기대해 봅니다. 저희 치주과학교수협의회는 앞으로도 치주과학 교과과정과 임상교육의 수월성 제고를 위해 배전의 노력을 기울이겠습니다. 끝으로 개정판이 나오기까지 헌신적으로 수고해 주신 연세대 최성호 교수님을 비롯한 모든 교수님들과 군자출판사(주) 임직원 여러분께 깊은 감사의 마음을 전합니다.

2016년 8월

전국치주과학교수협의회 회장

김 성 조

제1판 | 머리말

1988년 전국 치주과학 교수협의회 이름으로 "치주과학"이란 제목으로 교과서가 출간된 지 어언 20년이 넘게 흘렀습니다. 그간 11개 치과대학에서 이 교과서를 바탕으로 치주학 강의에 많이 사용되어 왔습니다. 그러나 현재 각 대학에서 치주실습이 진행되고 있지만 대학 나름대로 개개의 지침서를 사용하여 왔기 때문에 대학간 차이가 있어 치과대학 내 치주 실습 시 일관성의 필요성을 느끼게 되었습니다.

또한 지난 수십년간 치주치료, 특히 수술 방법은 많은 발전을 거듭해 왔으며 임프란트의 등장으로 치주치료의 외과적 술식의 적용 범위가 늘어나게 되었습니다. 따라서 현 시점에 맞는 치주치료의 임상 실습이 절실히 요구되는 상황입니다. 이 또한 실습서의 필요성을 느끼게 하는 것입니다.

또 하나의 이유로는 전문 대학원과 대학으로 다르게 공존하는 치과교육에 문제점을 들 수 있습니다. 11개 치과 전문대학원, 대학의 교육기간이 서로 다르고 총 치주교육 시간이 일치하지 않으며 실습시간 마저 다른데 치주 실습 교육의 기본 지침이 필요하리라는 것은 당연한 과제가 할 수 있습니다.

지난해 이른 봄부터 서울대 류인철 교수님을 주축으로 전국의 전문 대학원, 치과대학 교수님들이 바쁘신 중에도 여러 차례의 모임을 거쳐 뒤늦게나마 치주 실습 임상 지침서가 나오게 되었습니다. 처음 만들어진 지침서라 아직 미흡한 점이 지적되겠지만 앞으로 내용을 보충하고 개선시켜 나갈 초석이라 생각되어 수고하신 모든 교수님들께 고마움을 전합니다. 더불어 많은 이용바랍니다.

2009년 8월

전국치주과학교수협의회 회장

정 진 형

목차

관련역량

- 치과의사로서 신뢰를 바탕으로 환자-의사 관계를 정립하고 환자와의 효율적인 의사소통을 할 수 있다.
- 환자 정보의 비밀 유지 및 사전동의와 같은 환자의 권리에 대하여 인식하고 적절한 행동을 할 수 있다.
- 환자의 의견이 충분히 반영된 환자중심의 진료를 수행할 수 있다.
- 환자의 주요 호소증상을 파악하고 병력을 취득할 수 있다.
- 환자의 진료기록을 적절하게 작성할 수 있다.
- 진단을 위한 적절한 검사(구내 구외 진찰, 임상검사, 영상검사)를 시행하고 결과를 해석할 수 있다.
- 치아 및 주위조직에 대해 진단하고 치료계획을 세울 수 있다.
- 환자의 전신질환이 치과진료에 미칠 수 있는 영향을 알고 있다.
- 감염관리의 원리를 잘 알고 있어야 하고 교차감염을 방지할 수 있다.
- 구강보건교육을 할 수 있다.
- 국소마취를 할 수 있다.
- 단순한 절개와 배농을 할 수 있다.
- 치석제거술, 치근활택술을 시행할 수 있다.

Chapter 01
환자면담, 병력청취 및 구강검사
Oral examination and history taking

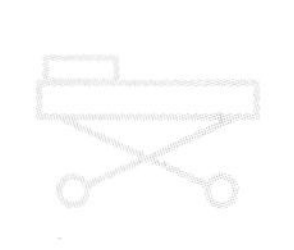

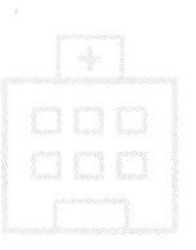

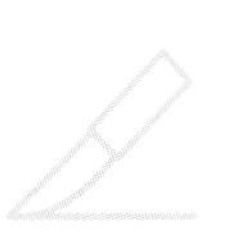

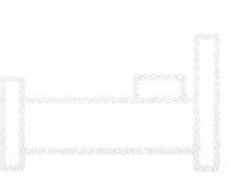

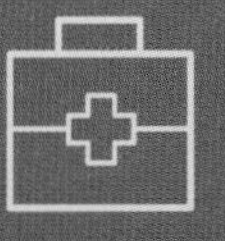

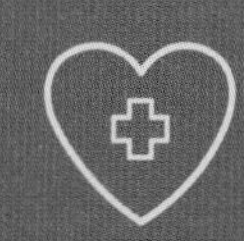

실습목표

- 학생은 전문가적 태도로 환자와 원활하게 의사소통을 할 수 있다.
- 학생은 환자의 주소를 파악하고 병력을 수집할 수 있다.
- 학생은 병력정보를 기록하고 요약할 수 있다.
- 학생은 Unit & Chair의 사용법, 관리법 등을 숙지하고, 환자와 술자의 올바른 자세를 취할 수 있다.

핵심평가요소

- 환자 주소를 정확히 확인하고 명확한 의무기록을 작성하는가?
- 현증에 대한 과거병력을 정확히 확인하고 명확한 의무기록을 작성하는가?
- 구강병소와 관련된 전신증상을 정확히 파악하고 명확한 의무기록을 작성하는가?
- 환자와 적절한 의사소통을 하는가?

I. 환자 면담 및 병력청취

시술과정

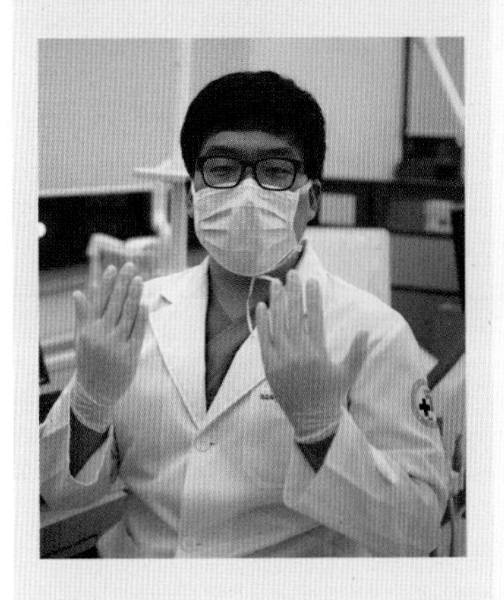

복장을 확인한다.
(mask, glove, 필요시 보안경을 착용한다.)

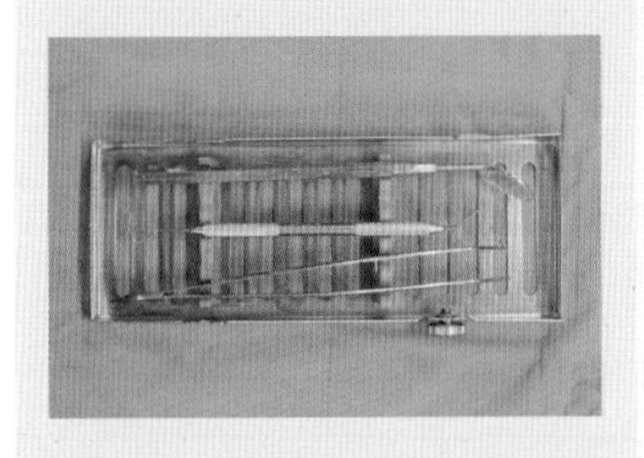

기본진찰기구를 준비 및 확인한다.
(dental mirror, pincette, explorer, periodontal probe)
자기 소개를 한다(안녕하세요? 진료를 담당할 치주과 000 입니다).
개방형 질문(성함이 어떻게 되시나요?)으로 환자의 이름을 확인한다.

전신질환 문진표

52 / 여 / 2015-10-06 / No Dr. / 선택 / 선택 / 선택

다음 해당란에 ● 표 해주십시오.

	예	아니오	비고
1. 최근에 심하게 아픈 적이 있습니까?	○	●	부위 :
2. 예전에 병원에 입원한 적이 있습니까?	○	●	이유 :
3. 예전에 수술을 받으신 적이 있습니까?	○	●	수술부위 :
4. 현재 의사에게 치료를 받고 있습니까?	○	●	치료내용 :
5. 현재 특별한 약을 복용하고 있습니까?	○	●	약이름 :
6. 주사를 맞고 부작용이 생긴 적이 있습니까?	○	●	주사이름 : 부작용내용 :
7. 약물이나 약제에 부작용이 생긴 적이 있습니까?	○	●	약이름 : 부작용내용 :
8. 치과 치료당시 국소마취후 부작용이 생긴 적이 있습니까?	○	●	
9. 상처가 났을 때 피가 잘 멈추지 않습니까?	○	●	
10. 현재 임신 또는 모유수유 중이십니까?	○	●	임신 개월,
11. 고혈압 진단을 받은 적이 있습니까?	○	●	혈압 :
12. 심장질환이 있습니까?	○	●	
13. 류마티스성 질환을 앓은 적이 있습니까?	○	●	
14. 항응고제를 복용중이십니까?	○	●	
15. 골다공증이 있습니까?	○	●	
16. 당뇨병이 있습니까?	○	●	혈당치 :
17. 간염이나 황달이 있습니까?	○	●	
18. 위장장애가 있습니까?	○	●	
19. 신장질환이 있습니까?	○	●	
20. 안질환이 있습니까?	○	●	
21. 호흡에 어려움이 있습니까?	○	●	
22. 결핵을 앓은 적이 있습니까?	○	●	
23. 성병에 걸린 적이 있습니까?	○	●	
24. 흡연을 하십니까?	○	●	흡연량 : 갑/1일
25. 음주를 많이 하십니까?	○	●	음주량 : 회/1주
26. 식사시 한쪽으로 많이 씹으십니까?	○	●	씹는부위 : 오른쪽( )왼쪽( )
27. 기타사항	○	●	
날짜 2011-01-01	환자서명		

환자가 의무기록지의 설문지를 작성할 수 있도록 설명한다.
환자 스스로 작성이 곤란한 경우, 술자가 직접 설명드리고 기입하도록 한다.

시술과정

초진기록지

C.C

History

On-set

Course

PDH

Scaling history

Brushing frequency /day

환자의 주소(chief complaint)을 묻고 의무기록지에 기입한다. 가급적 환자의 표현을 있는 그대로 살려야 하며, 주소가 여러 개일 경우, 항목별로 번호를 부여하여 명료하게 적는다.

'현증에 대한 병력'을 묻고, 의무기록지 해당란에 기입한다. 현증에 대하여 on-set, course, now로 나누어 시간적인 흐름에 따라 명확하고 논리적으로 기술한다.

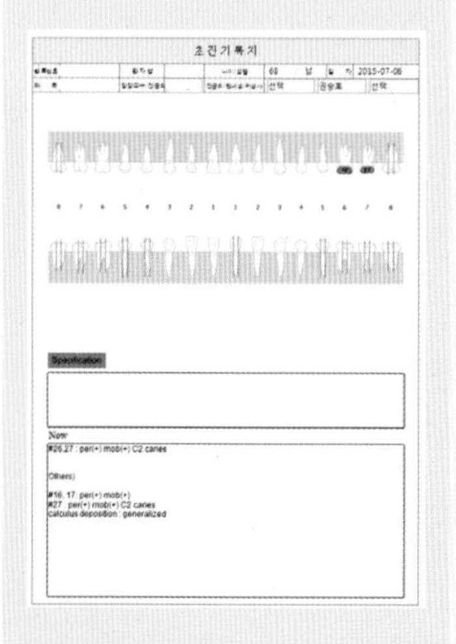
초진기록지

Specification

Now

설문지를 참고하여 전신질환 및 치과진료에 관한 병력을 묻고 의무기록지 해당란에 기술한다. 필요한 경우, 사회력과 가족력 등도 기입한다.

약물 복용 유무 및 복용약의 종류, 복용방법 등에 대하여 묻고 기입한다.

해당 환자의 전신질환 주치의에게 의뢰의 필요성이 있는지 평가한다.

치과 치료 시의 고려사항 등에 대하여 확인하고 환자에게 설명한다.

II. 구강 검사

시술과정

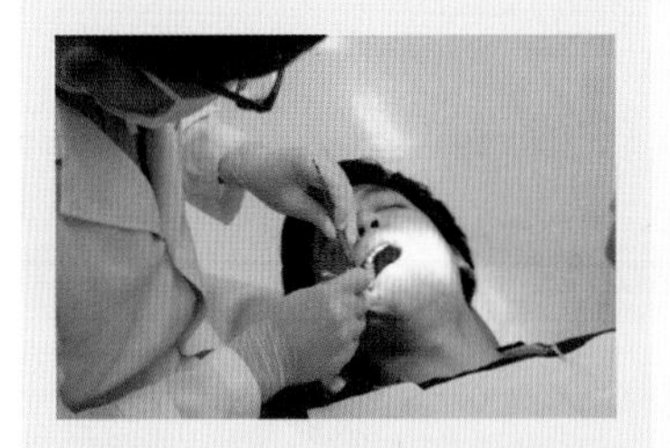

일반적 구강 내 상태를 진찰한다(저작계 기능상태, 구강위생상태, 치석 침착 상태, 치아의 변색 유무, 치아의 교모 상태, 치아의 배열 상태, 연조직 병소 유무, 급만성 동통 유무, 보철물 장착 유무 등).

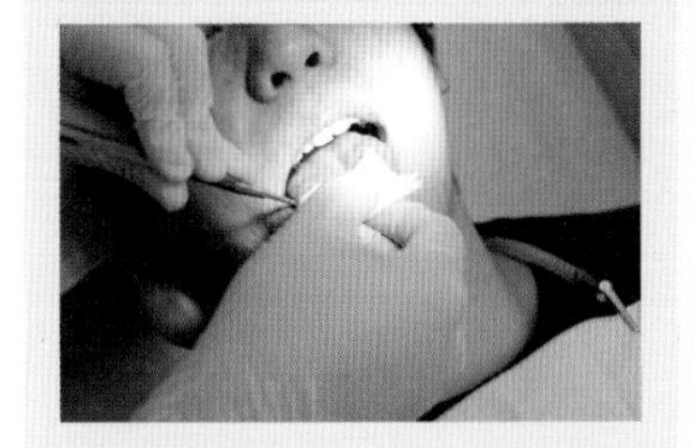

구강 조직별 상태를 진찰한다(연조직에서는 구순, 협부, 구개, 인후, 혀, 구강저, 치은의 순으로 시행하고, 경조직으로는 치아 및 악골에 대하여 시행한다).

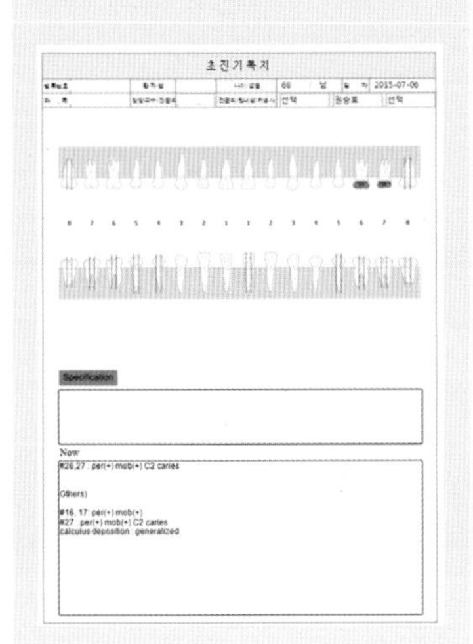

초진기록지

2015-07-06

8 7 6 5 4 3 2 1 1 2 3 4 5 6 7 8

Specification

Now

#26,27 : per(+) mob(+) C2 caries

Others)

#16, 17 per(+) mob(+)
#27 : per(+) mob(+) C2 caries
calculus deposition : generalized

기호 및 약어를 이용하여 진찰 결과를 의무기록지에 정확하게 기록한다.

1. 치주질환 환자의 병력

- 환자의 병력은 전신 병력뿐만 아닌, 포괄적 치료계획과 환자의 요구, 사회경제적 상태를 이해하도록 작성해야 한다.
- 병력 조사를 신속하게 시행하기 위해서는 초기 검사에 앞서 건강 설문지를 이용하는 것이 추천된다.
- 환자의 병력은 주소, 사회력, 가족력, 치과병력, 구강위생습관, 흡연, 전신병력과 약처방에 대한 평가가 필요하다.

2. Unit chair 사용법 및 환자준비

1) 환자를 comfortable position에 위치

- 앙와위(supine position): 환자가 누워서 시선이 위쪽을 향하는 자세
- 구강을 술자의 팔꿈치 가까이에 위치

(1) 상악 시술 시-환자의 턱이 약간 위로 위치

하악 시술위치에서~약간 backward tilting

(2) 하악 시술 시-하악의 교합면이 바닥과 평행

환자의 턱이 약간 아래로 위치

2) 술자의 위치 및 자세

- 넓적다리를 바닥과 평행하게 하고, 발바닥은 바닥에 평평하게 닿게 한다.
- 등은 곧게 편다.
- 팔꿈치는 환자와 가깝게 위치시킨다.
- 목은 가능한 적게 구부린다.

(1) Front position

(2) Side position

(3) Back of rear position

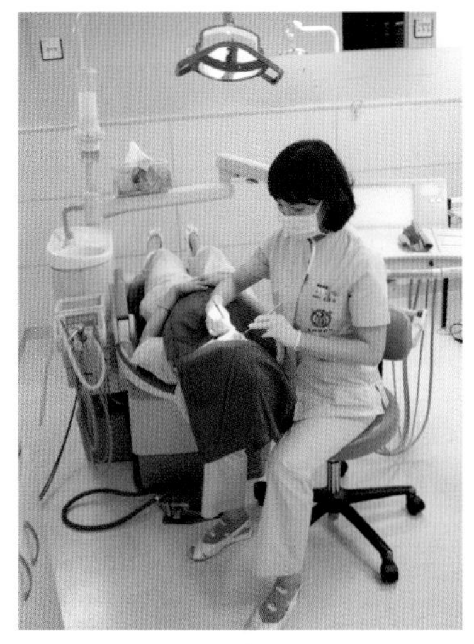
Front position

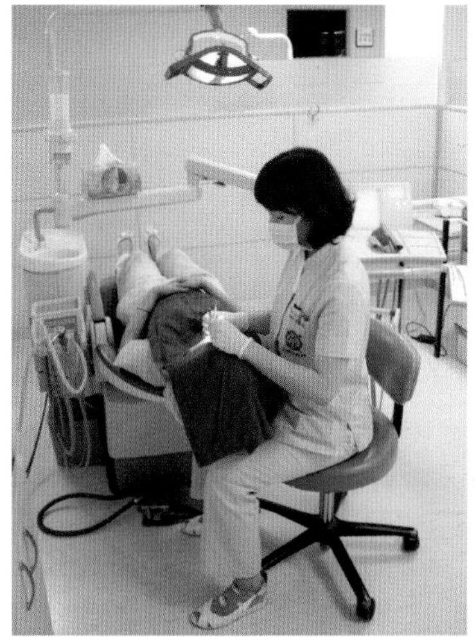
Side position

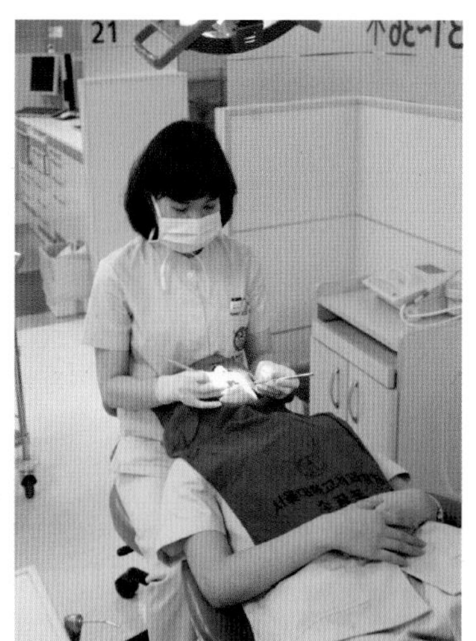
Back of rear position

3) 접근도(accessibility)와 시야(visibility)를 최대한 확보하고, 적절한 조명을 사용

- 직접시야, 간접시야
- 직접조명, 간접조명

(4) 적절한 견인

- 손가락과 구내검경(mirror), 흡입기(suction tip) 등을 사용해 견인

3. 기구는 깨끗하고 예리해야 하며 멸균해서 사용한다.

4. 기구는 안정적으로 잡는다.

1) 효과적인 기구조작에 필수적, 환자나 술자의 injury 방지

2) 기구파지법

(1) 펜 잡는 법(pen grasp)

(2) 변형된 펜 잡는 법(modified pen grasp) : 첫째와 둘째 손가락으로 기구를 잡고 가운데 손가락 안쪽으로 기구의 연결부위를 고정시키는 역할을 하게 한다. 치주기구 사용 시 가장 많이 사용되는 기구 잡는 법

(3) 손바닥과 엄지법(palm and thumb grasp) : 손바닥에 기구를 놓고 네 손가락으로 잡은 다음, 엄지에 연결부위를 대고 사용하는 방법. 기구의 날갈이에 쓰임

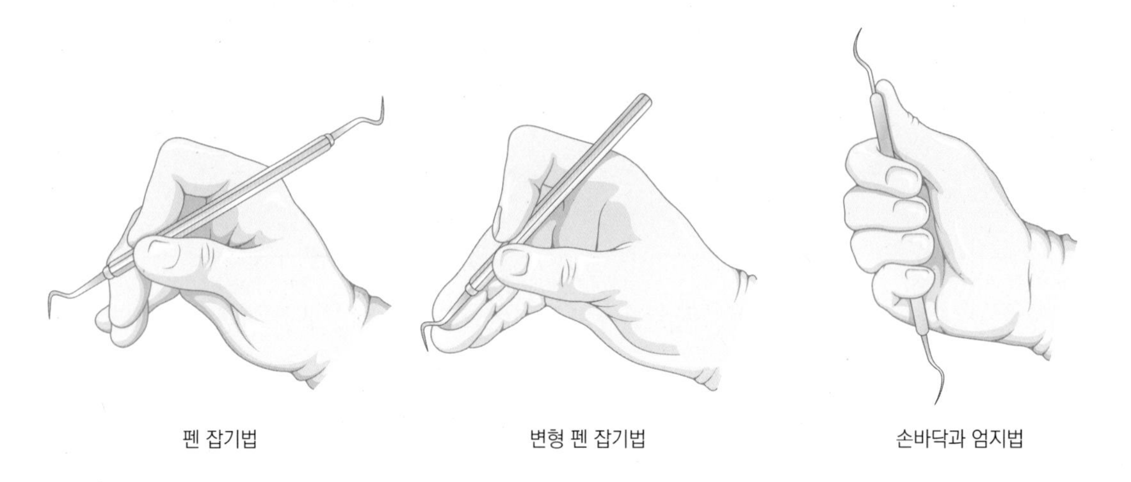

펜 잡기법　　변형 펜 잡기법　　손바닥과 엄지법

3) 손가락 고정

치주기구 사용 시 확고한 받침점을 줌으로써 기구와 손의 안정성을 주어 기구 사용을 원활하게 하고 치은의 상처나 파열 등을 방지할 수 있는데 보통 넷째 손가락이 많이 사용됨

(1) Intraoral

① Conventional : 손가락 고정을 작업부위 바로 옆의 치아면에서 얻는다.
② Cross-arch : 손가락 고정을 같은 악의 반대편에 있는 치아면에서 얻는다.
③ Opposite arch : 손가락 고정을 반대악 치아표면에서 얻는다.
④ Finger-on-finger : 사용하지 않는 손의 인지 또는 엄지에서 손가락 고정을 얻는다.

(2) Extraoral - palm up, palm-down 등

5. 깨끗한 작업부위를 유지한다.

Saliva ejector로 적절한 suction, 거즈, compressed air의 사용

6. 부드럽고 조심스럽게 기구를 조작한다.

7. 항상 환자를 주시한다.

8. 보조자의 위치 및 역할 Assistant position & Role

1) 보조자의 자세

(1) 술자의 눈높이보다 10~15 cm 더 높게 위치되도록 조절하여 앉고 보조자의 몸무게는 stool에 의해 충분히 지탱되도록 하며 발은 stool base 위에 편안하게 놓는다.

(2) 기구와 mobile car는 보조자의 팔이 닿는 범위 내에 두어 4-handed dentistry가 가능하게 한다.

2) 4-handed dentistry

(1) Equipment

완전한 장비를 갖춘다.

(2) Tray delivery system

예약 환자인 경우, 필요한 기구를 모두 tray에 담아두었다가 환자가 내원시 바로 tray를 가져다가 진료에 임하여 시간 절약과 시술의 안정감을 얻는다.

(3) Position of patient, operator, assistant

환자, 술자, 보조자가 제 위치에 올바로 앉아 능률적인 진료를 도모한다.

(4) High velocity oral evacuation & instrument transfer techniques

구강 내 유출물의 빠른 흡수와 술자가 필요한 기구의 신속한 전달을 통해 편리한 시술을 가능하게 한다.

9. 환자, 술자, 보조자의 올바른 위치

1) Operator's area : 8:00~11:00

2) Static area : 11:00~2:00(보조자가 사용하는 mobile car, 치료에 필요한 기구, 재료)

3) Assistant's area : 2:00~4:00

4) Transfer zone : 4:00~8:00(술자가 사용하는 기본 기구, handpiece, 3-way syringe)

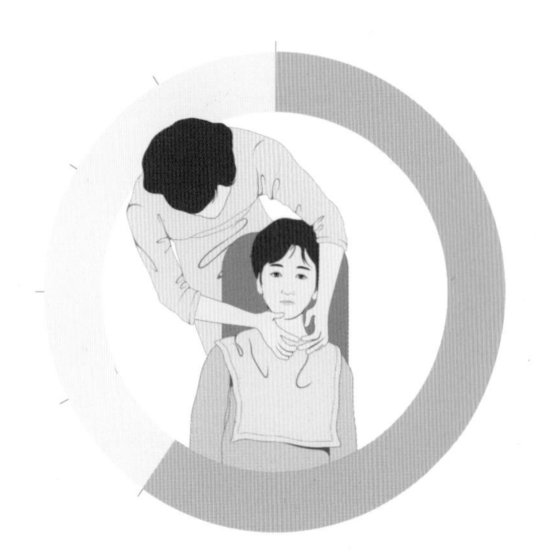

술자가 작업하는 각도

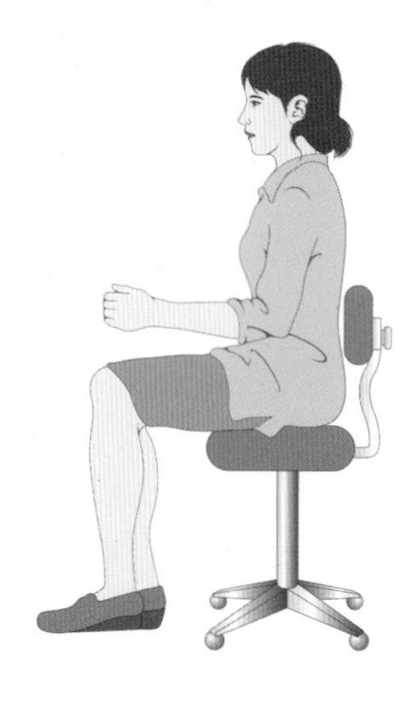

술자의 자세

Chapter 02
치주기구
Periodontal instruments

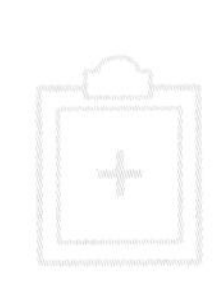
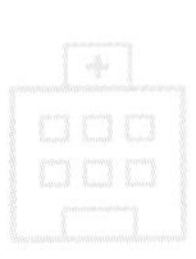

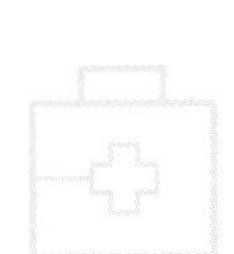

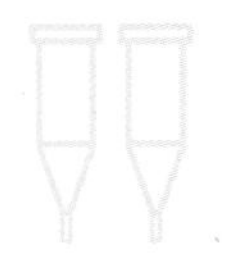

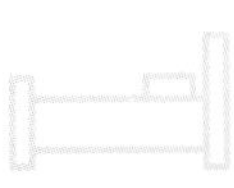
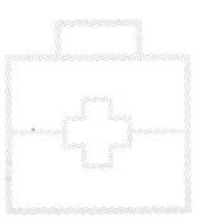

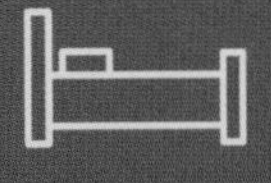

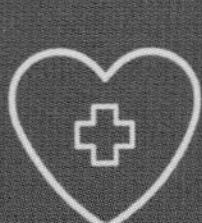

실습목표

- 치주 진단 기구의 명칭과 용도 및 사용방법을 설명할 수 있다.
- 비외과적 치주치료를 위한 기구의 사용법을 설명할 수 있다.
- 외과적 치주치료를 위한 기구의 용도와 사용법을 설명할 수 있다.
- 무딘 기구를 구별하는 방법을 설명할 수 있고, 날 세우기 방법을 설명할 수 있다.

핵심평가요소

- 치주 진단 기구의 명칭과 용도 및 사용방법을 설명할 수 있는가?
- 비외과적 치주치료를 위한 기구의 사용법을 설명할 수 있는가?.
- 외과적 치주치료를 위한 기구의 용도와 사용법을 설명할 수 있는가?
- 무딘 기구를 구별하는 방법을 설명할 수 있고, 날 세우기 방법을 설명할 수 있는가?

※ 치주기구의 구조

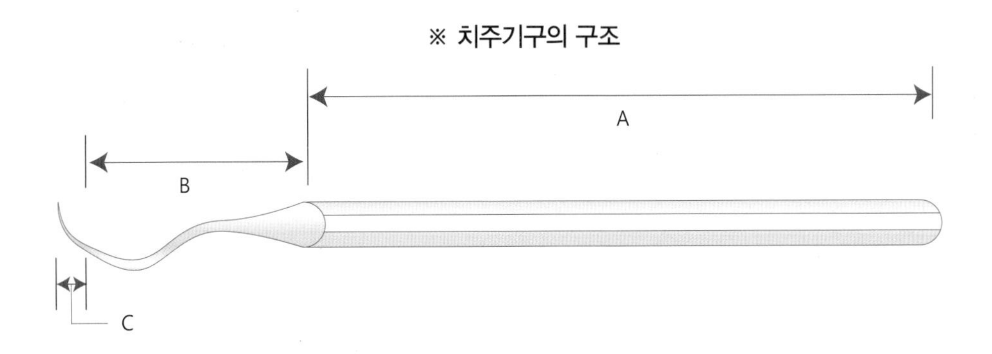

A: Handle
B: Shank : Handle과 Working end를 연결
C: Working end : 실제적으로 작용하는 부위(explorer의 tip, curette의 날 등)

1. 진단기구 Diagnostic instruments

1) 구내검경(Mouth mirror)

(1) 혀, 입술, 뺨의 견인

(2) 간접조명 제공

(3) 간접시야 제공

2) 탐침 소자(Explorer)

(1) 기구조작하기 전에 치근면의 특징을 결정

(2) 축적물(deposits), indentations, 이개부(furcations), 과변연부(overhanging margins), 치아우식증(caries) 등을 감지

(3) 치근활택술 후 완벽함을 검사

(4) 종류

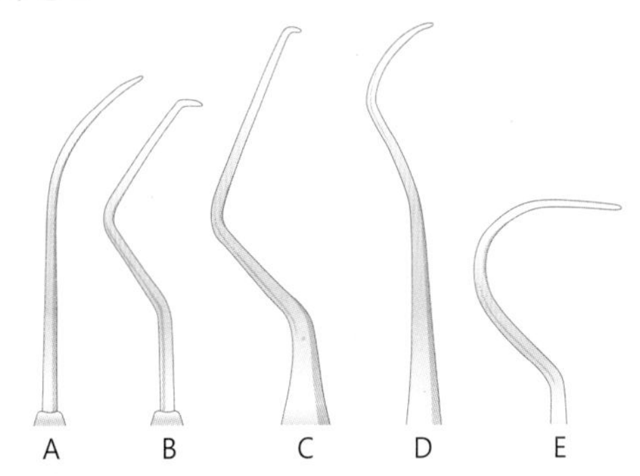

A: Hu-Friedy
B: No. 3-4 explorer, No. 1
C: Orban-type explorer
D: Pig-tail
E: No. 23 Shepherd's hook explorer

3) 치주낭 측정기(Periodontal probe)

(1) 치주낭의 깊이와 형태를 결정

치아의 장축에 평행하게 20~40 g의 힘으로 저항을 느낄 때까지 삽입하여 측정

(2) 치석의 감지

(3) 형태

tapered rod-like, calibrated in millimeters, with a blunt rounded tip

(4) 종류

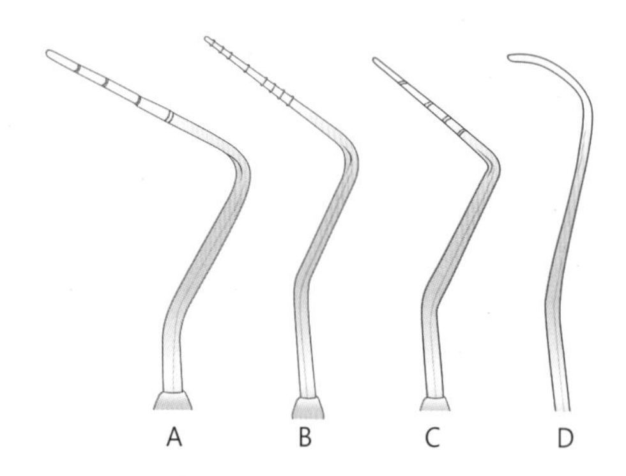

A: Marquis probe
: 3, 6, 9, 12 mm scale
B: Williams probe
: 1, 2, 3, 5, 7, 8, 9, 10 mm scale
C: Michigan-O-probe
: 3, 6, 8 mm scale
D: No. 2 Nabers probe

4) 핀셋(Pincette)

2. 치석제거술 및 치주소파기구 Scaling and curettage instruments

- 석회화된 침착물의 제거-치석제거술(scaling)
- 괴사, 변성된 백악질의 제거-치근활대술(root planing)
- 치주낭을 이장(lining)하는 연조직의 제거-치은연하 소파술(subgingival curettage)

1) Sickle scaler(superficial scaler)

(1) 치은연상 치석의 제거

(2) 횡단면은 삼각형 모양으로 날은 양면으로 되어있고 끝이 뾰족함.

2) Curette

(1) 치은연하 치석제거 및 치근활택술 시 이용

(2) Convex base를 가진 semicircular shape(spoon shape)

(3) 하나 또는 두 개의 cutting edges, round tip

(4) 깊은 치주낭에서 최소한의 연조직 외상으로 더 좋은 접근 제공

(5) Universal curette과 specific curette(Gracey curette)이 있음.

Gracey curettes은 다음과 같이 쌍으로 구성되어 이용됨.

① Gracey No. 1-2, Gracey No. 3-4 : 전치부

② Gracey No. 5-6 : 소구치부

③ Gracey No. 7-8 , Gracey No. 9-10 : 구치부 협면과 설면

④ Gracey No. 11-12 : 구치부 근심면

⑤ Gracey No. 13-14 : 구치부 원심면, 전치부 설면

⑥ Gracey No. 15-16 : 구치부 근심면

⑦ Gracey No. 17-18 : 최후방 구치부 원심면

※ Gracey curette은 그 형태에 따라 Standard Gracey curette, After Five curette, Mini Five curette 및 Micro Mini Five curette으로 출시되고 있다.

참고

After Five curette : Extended-Shank curette

- 5 mm 이상의 깊은 포켓에 접근성을 높이기 위해 Terminal Shank가 standard curette에 비해 3 mm길어진 형태임.

Mini Five curette : Mini-Bladed curette

- Mini Five curette은 After five curette의 형태에서 blade가 절반 크기로 짧아진 형태이다.
- 깊고 좁은 치주낭 내로 넣기가 쉬우며 적합 시키기도 쉽다. Standard curette과 After Five curette에 비해 조직 팽창과 손상이 적다.
- Standard curette 사용 후 정밀한 root planing을 위해 특정 부위에 사용.

Micro Mini Five curette : Thinner and smaller curette

- Micro Mini Five curette은 Mini five curette의 형태에서 blade가 20% 정도 가늘어지고 작아진 형태이다.

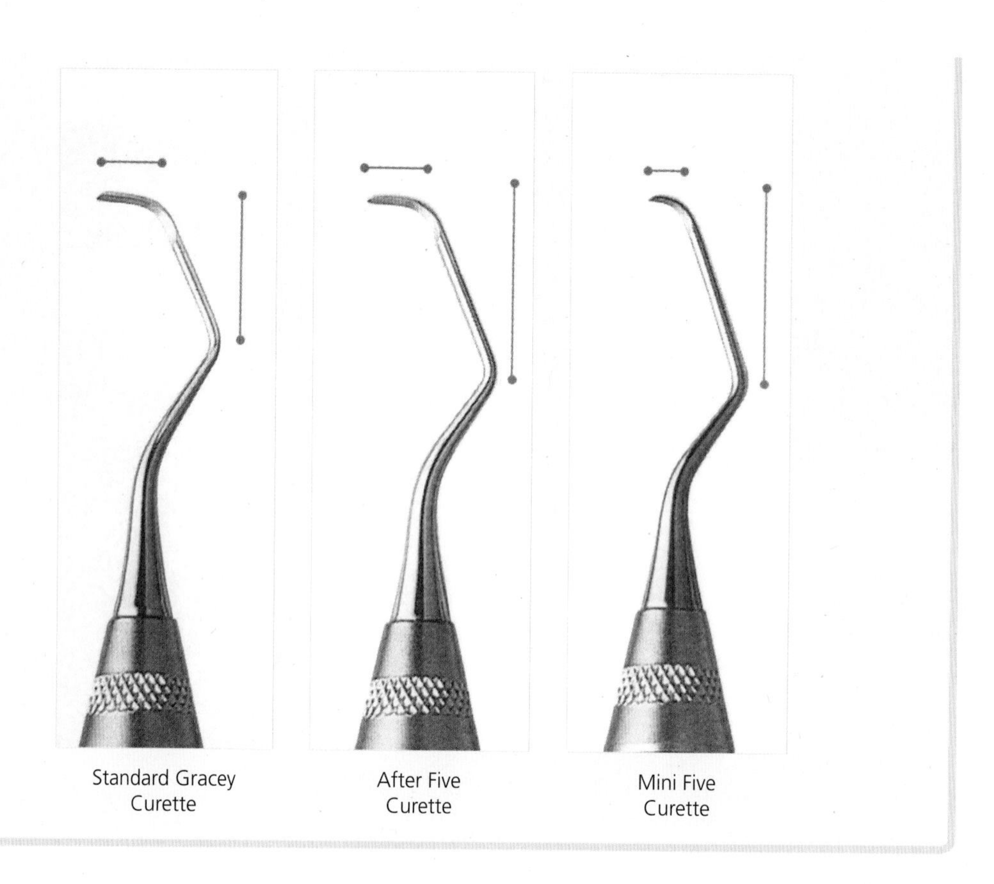

참고

일반큐렛(Universal curette)과 특수큐렛(Gracey curette)의 비교

	일반큐렛(Universal curette)	특수큐렛(Gracey curette)
사용부위	전체 치아에 사용	부위에 따라 많은 형태의 큐렛이 있음
사용되는 날	양측 면의 두 날을 사용	한쪽 날만 사용
만곡	날부위가 직선	날부위가 만곡
날부위와 연결부위의 각도	90°	60~70°
사용방법	pull	pull

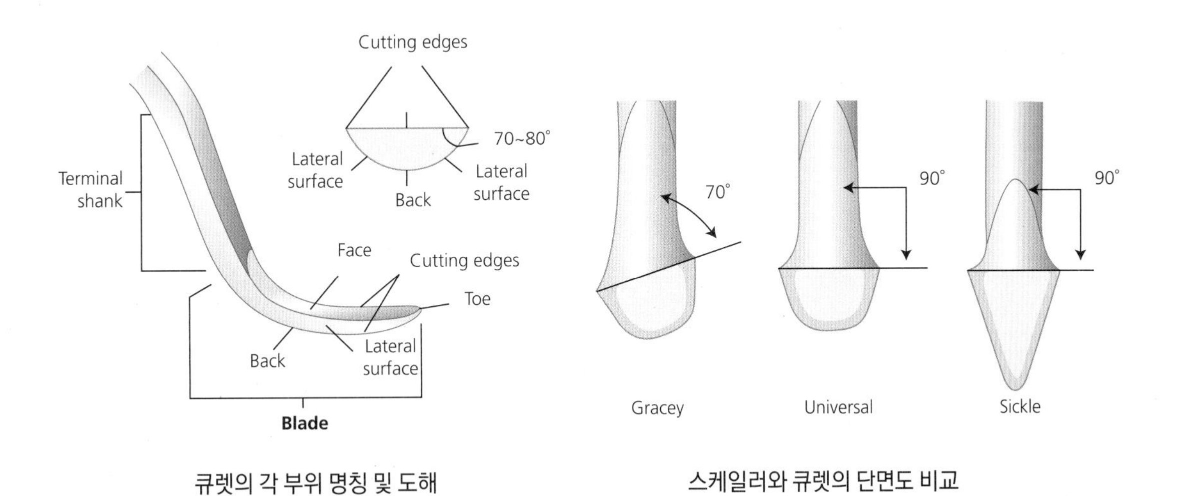

큐렛의 각 부위 명칭 및 도해

스케일러와 큐렛의 단면도 비교

3) Younger Good curette

하악전치부에서처럼 치근이 밀접하게 위치하고 있을 때 사용하는 기구

끝이 아주 가느다랗다.

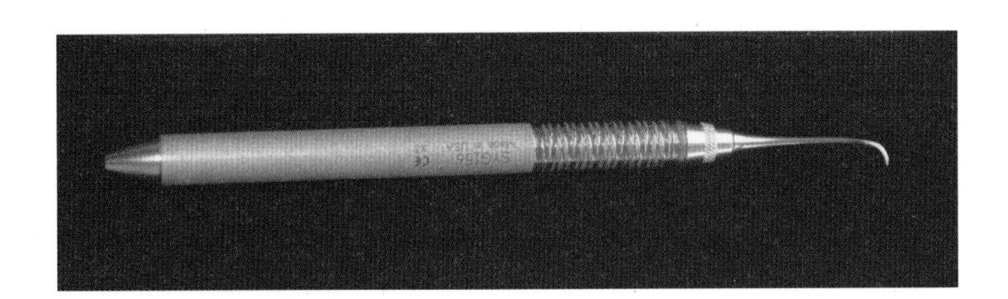

4) Periodontal File

치근면을 거칠게 하기 때문에 더 이상 사용되지 않지만 가끔 수복물의 overhanging margin을 제거하기 위해 사용한다.

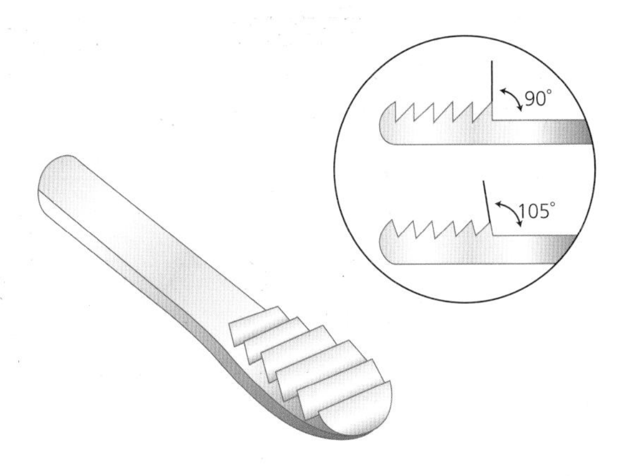

5) Chisel

너무 근접한 인접면에서 사용(주로 하악전치부)하며 blade의 끝부분이 편평하고 45°로 bevel을 갖는다. 순설방향으로 push stroke로 사용한다.

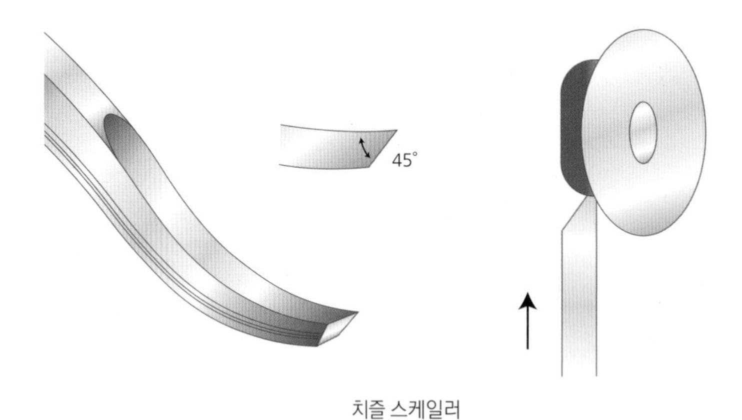

치즐 스케일러

6) 초음파 기구

(1) 치석제거술, 착색제거, 치은연하소파술에 이용

(2) 주의사항

① Water spray가 tip의 끝부분에 바로 적용-초음파 진동에 의해 형성되는 열 감소

② 부위당 제한된 stroke로 가볍게 접촉

③ Tip은 골에서 항상 떨어져야 함(부골, 골의 괴사)

④ 새로 형성되고 있는 조직에는 사용하지 않음

⑤ 수동기구 대용으로 사용하지 않음(치석제거술, 치근활택술)

(3) 금기증 : Pacemaker 장착환자(magnetostrictive type은 금기이나 발전된 형태인 piezoelectric type은 사용 가능함)

Magnetostrictive type

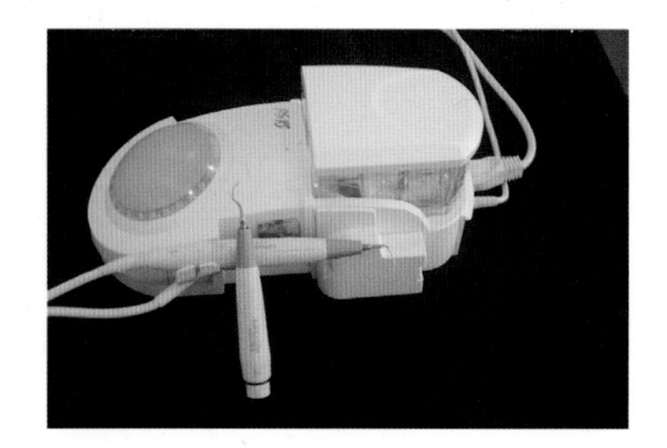

Piezoelectric type

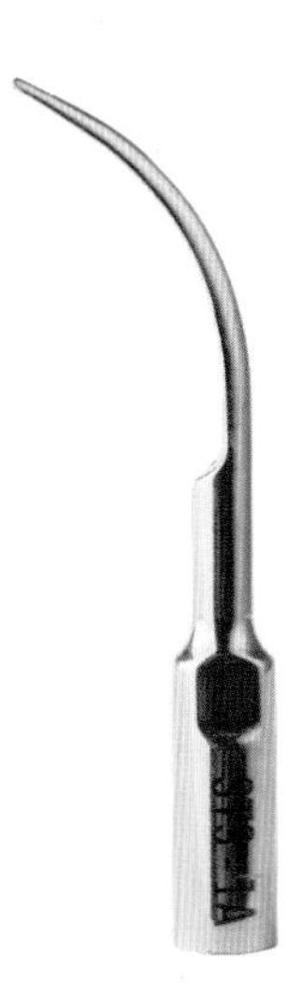

초음파 스케일러에서 임플란트 주위용 전용 tip

3. 세척, 연마기구 Cleansing and polishing instruments

1) Rubber cup

(1) Angle을 가진 핸드피스로 사용한다.

(2) Cup의 열발생을 최소화하기 위해 cleansing and polishing pastes를 항상 사용한다.

Paste and rubber cup with contraangle handpiece

2) Bristle brush

모가 매우 stiff하기 때문에 brush는 치관에만 사용하도록 한다.

3) Dental tape

(1) 다른 polishing instrument로는 접근이 불가능한 인접면에 사용한다.

(2) 치은의 손상을 피하면서 사용하도록 주의한다.

4) Air-power polishing

(1) 외인성 착색과 연성 침착물의 제거에 사용된다.

(2) 부작용 : 치질의 상실, 치은의 손상, 레진 수복물이 거칠어진다.

(3) 금기증 : 호흡기 질환자, 전해질 균형을 조절하는 약물을 복용하고 있는 환자

4. 외과적 기구 Surgical instruments

1) Instruments for excision and incision

(1) Periodontal knives - Kirkland knife

(2) Interdental knives - Orban knife

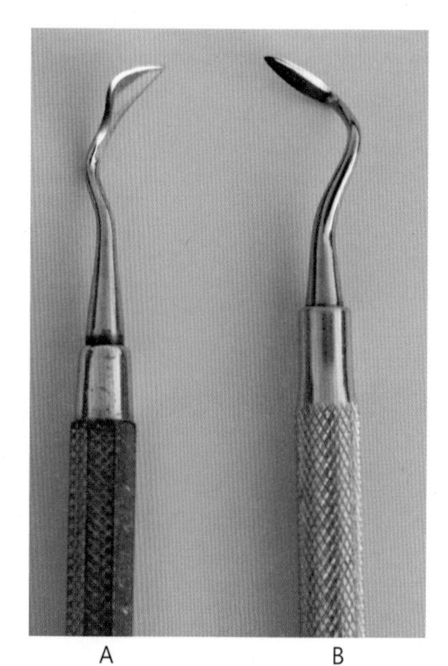

A B

A: Kirkland Knife
B: Orban Knife

(3) Surgical blade - No. 11, 12, 15

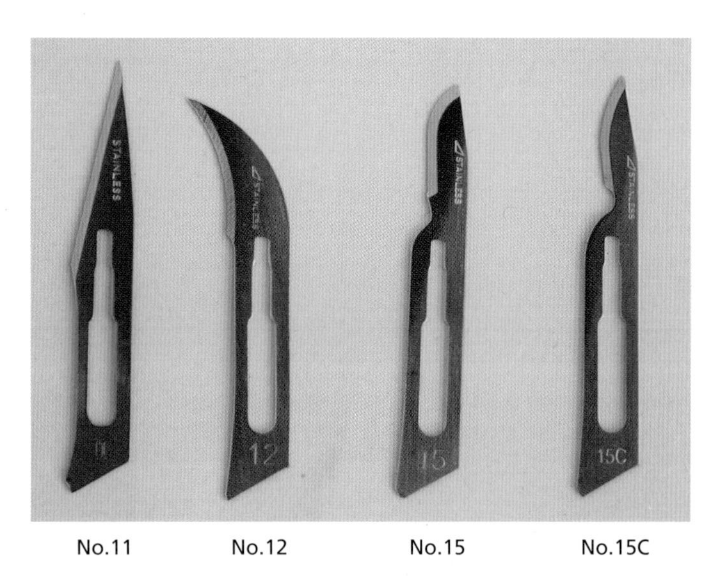

No.11 No.12 No.15 No.15C

Surgical blade

(4) Electrosurgical unit

2) Periodontal curettes and sickles

육아조직이나 섬유성 치간조직 등을 제거하기 위해 사용한다.

3) Periosteal elevators

4) Instruments for bone removal

(1) Surgical chisels – 골의 제거나 reshaping

(2) Surgical files – 거친 bony ledges를 부드럽게 한다.

5) Scissors and nippers

6) Hemostats and tissue forceps

7) Needle holder

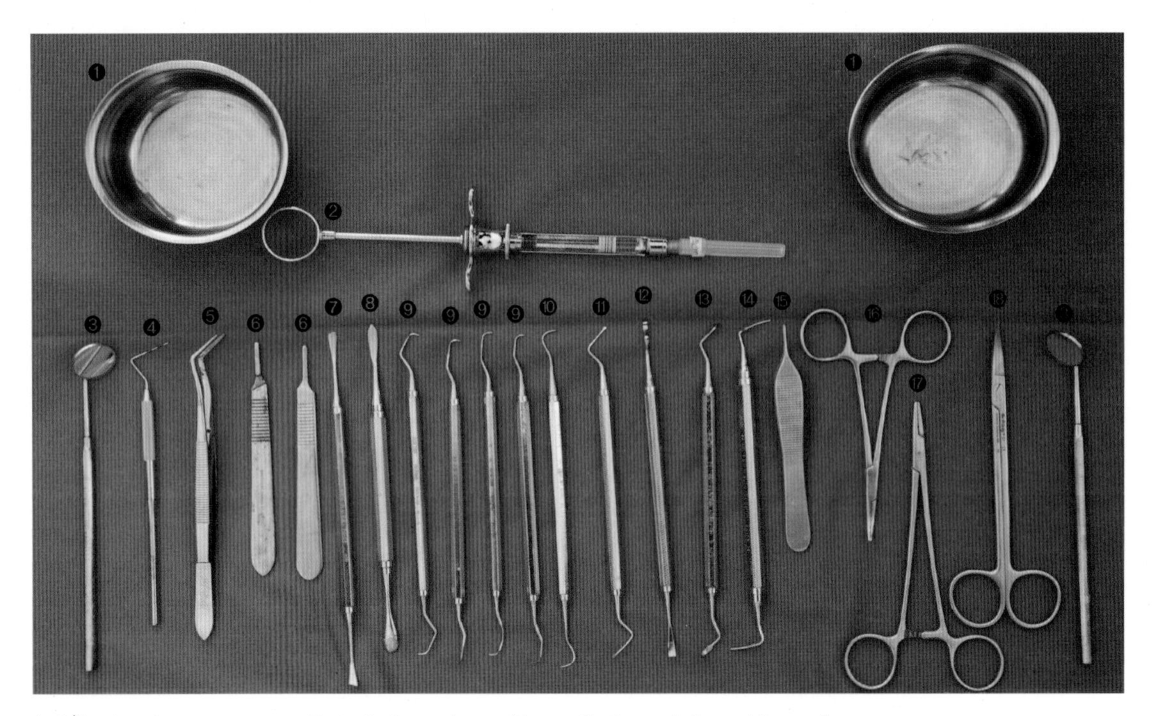

1. Saline bowl
2. Aspirating syringe with anesthetics and disposable needle
3. Mouth mirror
4. Periodontal probe
5. Plier
6. Blade holder
7. Periosteal elevator (P24G)
8. Periosteal elevator (P9)
9. Curette (Gracey) 4 ea
10. Mc Call universal curette
11. File scaler
12. Back action chiesl
13. Sickle scaler
14. Periodontal file
15. Tissue forcep
16. Hemostats
17. Needle holder
18. Scissor

그외. Towel clamp, suction tip, sharpen stone, etc.

5. 치주기구의 날 세우기 Periodontal instrument sharpening

1) 기구날의 평가법

(1) 불빛 아래에서 무디어진 면이 빛을 반사시켜 절단연을 따라 밝은 선으로 보인다.

(2) 손가락에 기구를 가볍게 적합, 촉감으로 예리한 정도를 평가한다.

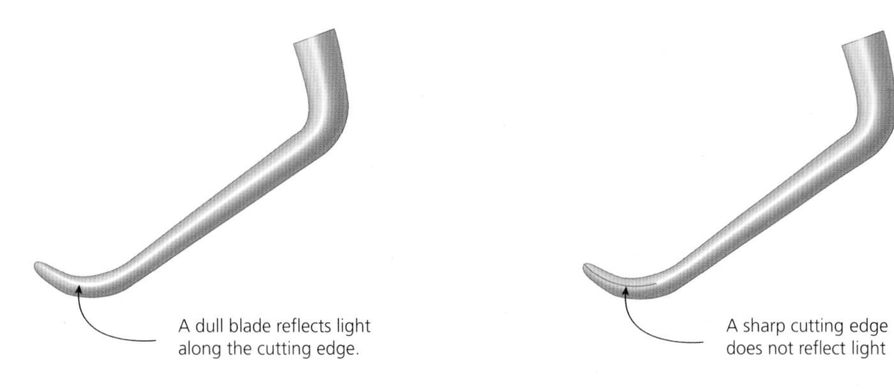

Visusal Inspection

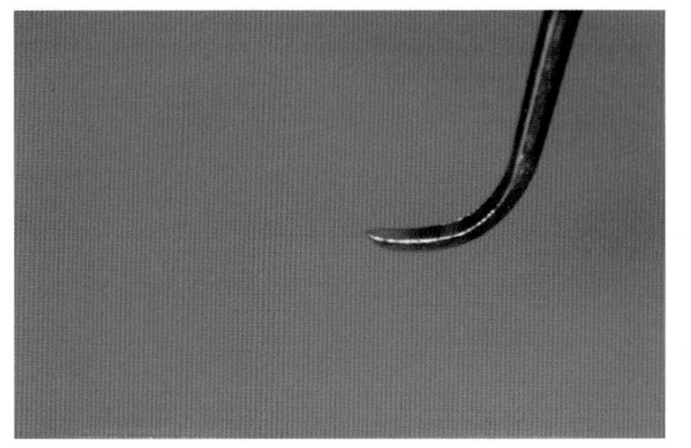

Dull edge

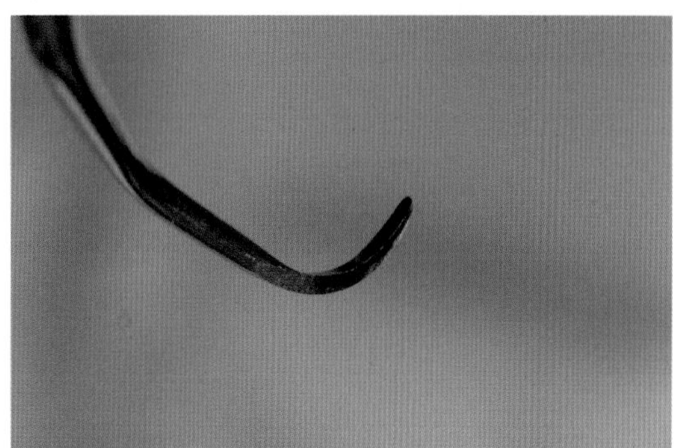

Sharp edge

2) 날 세우기의 원리

(1) 날을 세울 기구에 적절한 모양과 마모도를 갖는 숫돌을 선택한다.

(2) 소독된 숫돌을 사용한다.

(3) 숫돌과 기구의 면 간에 적절한 각도를 형성한다.

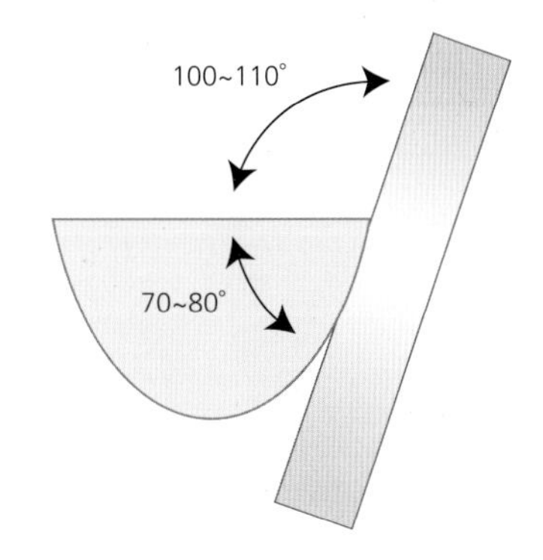

(4) 동작을 하는 동안 적당한 각도가 유지되어야 한다.

(5) 과도한 압력으로 빨리 갈지 않는다.

(6) Wire edge가 생기지 않도록 마지막에 하방동작을 가한다.

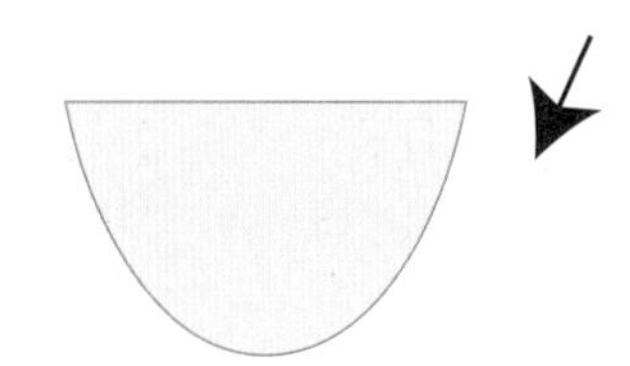

(7) 적당한 윤활제를 사용 : 금속가루가 숫돌표면 입자 사이에 끼는 것을 방지하며 마찰열을 분산시키기 위함이다.

(8) 기구가 무디어진 것을 발견한 즉시 날을 세운다.

3) 큐렛의 날 세우기

(1) 숫돌을 잡고 70~80도의 각도를 이루도록 큐렛의 측면에 위치시키고 palm and thumb grasp으로 큐렛을 잡고 날의 앞면을 바닥과 평행하게 유지한다.

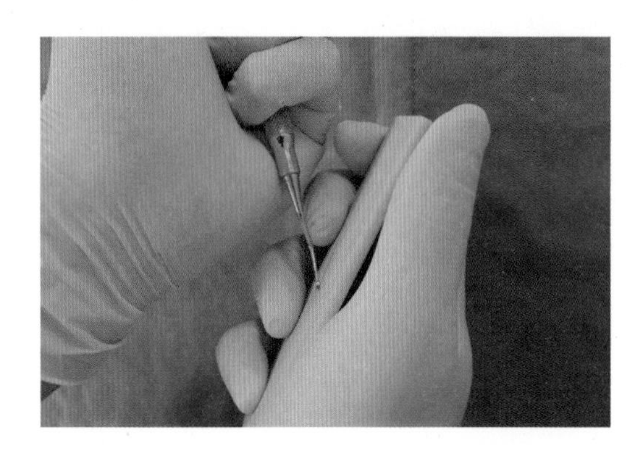

(2) 지지를 위해 팔을 고정시킨다.

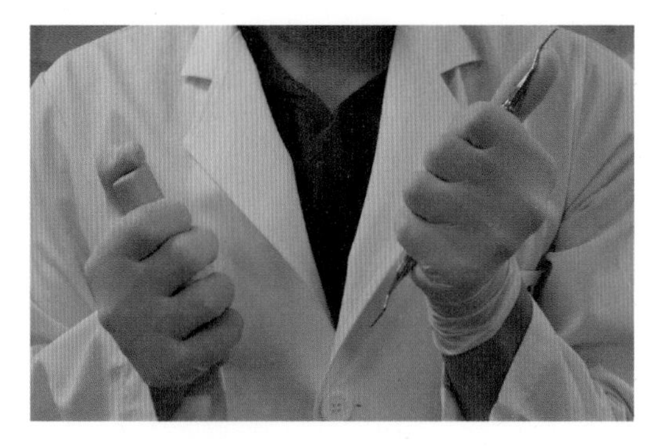

(3) 큐렛의 앞면과 숫돌 사이의 각도가 90도가 되도록 위치시키고 이때 숫돌을 측방으로 10~20도 회전시켜 앞면과 숫돌 사이의 각도가 100~110도를 이루게 한다.

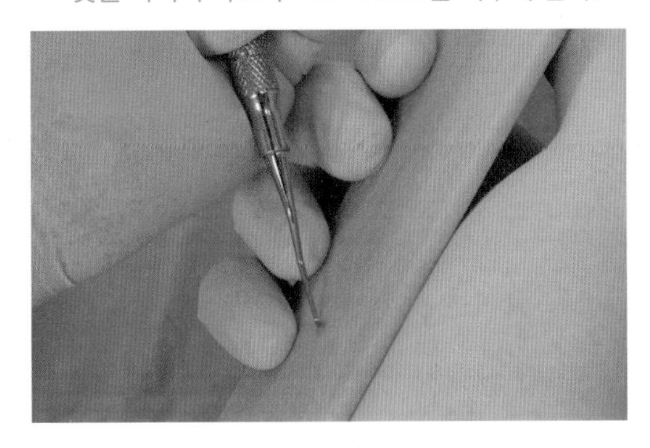
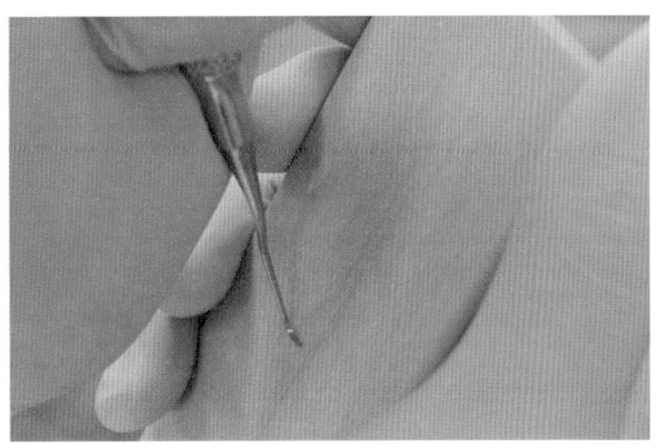

(4) 절단연의 연결부 쪽 끝에서 시작하여 끝방향으로 진행하면서 짧은 상하동작을 한다.

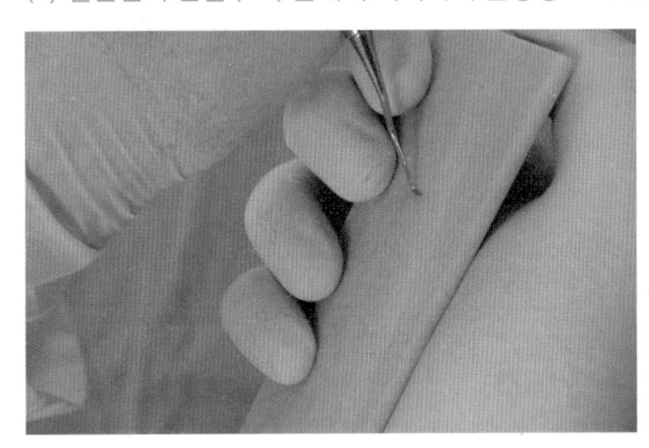
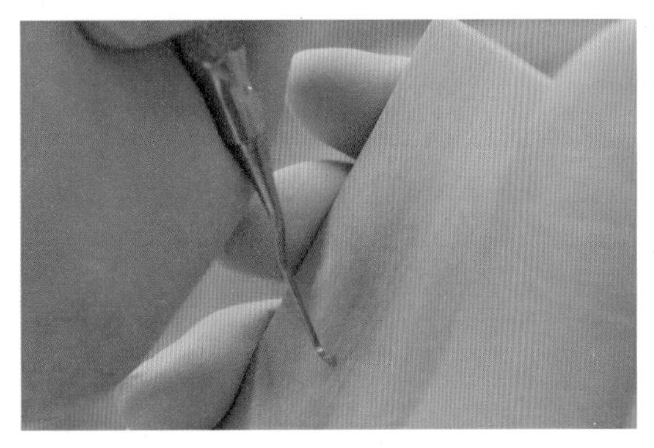

(5) 연결부 끝에서부터 절단연 끝까지 전체적으로 날을 세워 끝부분이 너무 뾰족하고 얇게 되지 않도록 한다.

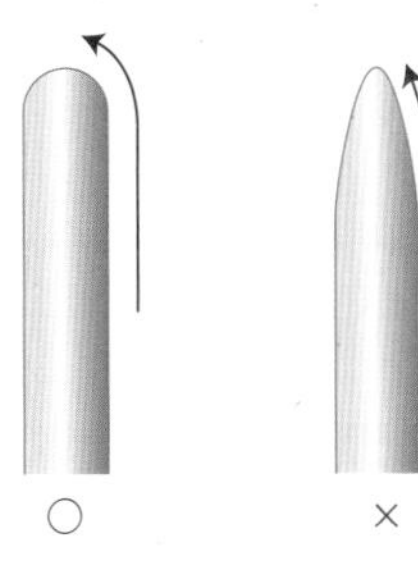

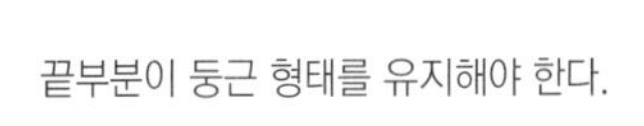

≫ 실 습

실습 목표

1. 치주기구의 용도 및 사용법을 숙지하고 변형 펜 잡기법을 익힌다.
2. 기구의 날 세우기의 원리를 이해하고 올바른 방법으로 날 세우기를 시행한다.

실습 준비물

curette, probe, dental mirror, pincette, sharpening stone, plastic tube

실습 내용

1. 2인이 한 조가 되어 한 명은 unit chair에 supine position으로 눕는다.
   상악과 하악 시술 시 조명(직접조명 및 dental mirror를 이용한 간접조명)과 시야, 접근도를 살펴 본다.
2. 변형 펜 잡기법으로 probe를 이용, pocket depth를 측정해본다.
3. 각각의 Gracey curette의 working end를 용도에 맞게 치아에 적합시켜 본다.
4. Curette과 stone을 다음과 같은 각도로 위치시킨다.

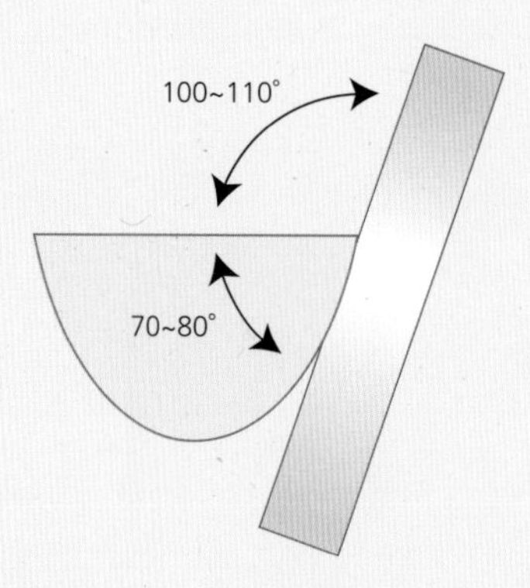

5. 짧은 상하동작으로 숫돌을 이동시키며 이때 마지막에는 하방동작을 해서 wire edge의 형성을 막는다..

Chapter 03
치주검사
Periodontal examination

 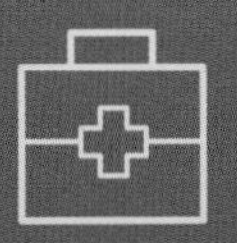  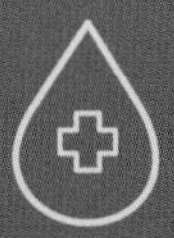 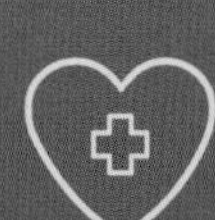 

실습목표

- ☑ 정상치은과 병적치은을 구분할 수 있다.
- ☑ 치은퇴축, 치주낭 측정, 부착소실을 포함한 치주검사를 정확하게 수행할 수 있다.
- ☑ 치아동요도를 측정하고 분류할 수 있다.
- ☑ 치근 이개부병변을 분류하고 적용할 수 있다.
- ☑ 치주검사의 결과를 해석하고 평가할 수 있다.
- ☑ 검사결과를 환자에게 설명할 수 있다.

핵심평가요소

- ☑ 치은의 색 이상 등 기타 특이한 사항의 검사를 수행할 수 있는가?
- ☑ 치은 퇴축, 치주낭 측정(치근이개부 포함) 및 부착수준 검사를 수행할 수 있는가?
- ☑ 동요도 검사를 수행할 수 있는가?
- ☑ 진단결과를 환자에게 정확히 설명할 수 있는가?

치주질환은 환자가 증상을 느끼게 되면 이미 병변이 상당히 진행된 상태가 되어 치료하기에 어려운 경우가 많다. 그러므로 치주질환의 원인과 질병상태를 조기에 파악하여 치료하는 것이 중요하다. 치주질환을 진단하는데 있어서는 객관적인 임상적 기준을 필요로 하며 치주질환의 활성도를 알아보기 위해서는 여러 임상적 변수가 동시에 필요하다. 주로 다음과 같은 평가를 시행한다.

① 치은의 상태를 평가한다.
② 치주탐침을 이용하여 치주낭을 확인한다.
③ 치근이개부 병변의 확인을 위해 다근치의 치근이개부 부위를 탐침한다.
④ 부착 치은의 소실이 있는지 여부를 판단하고 측정한다.
⑤ 각 치아의 동요도를 평가한다.
⑥ 치아 위치를 평가한다.
⑦ 기존의 수복물을 평가한다.
⑧ 치아와 치조골의 방사선 사진을 검사한다.
⑨ 치태와 치석의 축적량과 위치를 평가한다.

1. 치은 평가 Gingival evaluation

1) 정상치은(Normal gingiva)

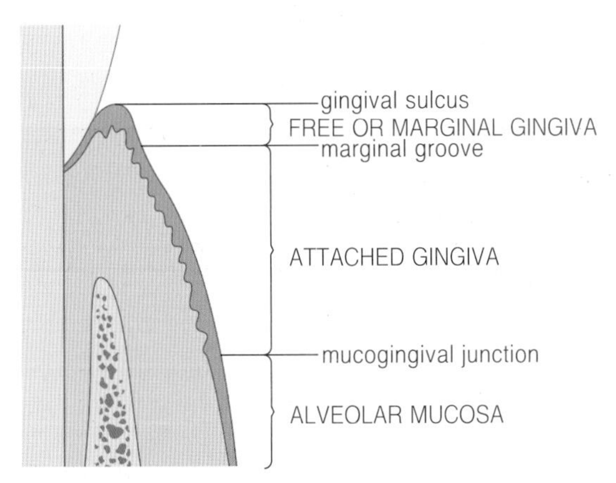

Diagram showing anatomy of the gingiva

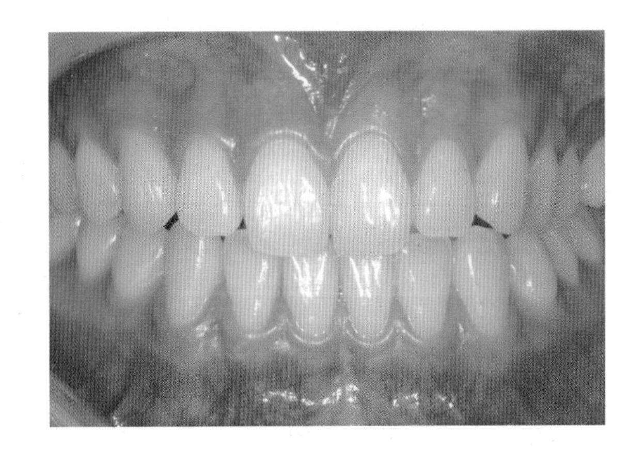

(1) 색상(Color): coral pink 혹은 pale pink(생리적 착색: 멜라닌)

(2) 외형(Contour) : knife edge(scalloped form) – 변연치은 혹은 치간치은

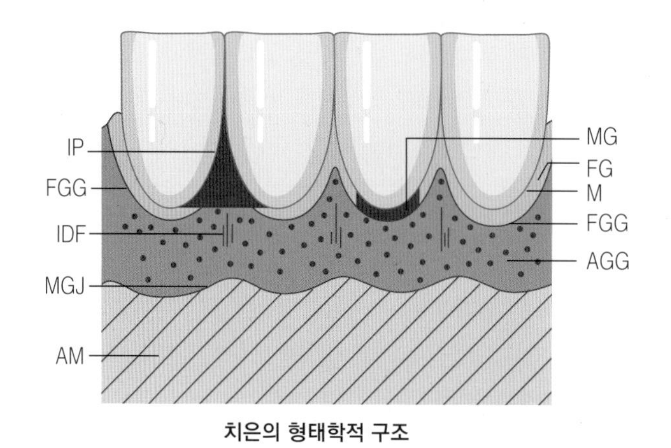

치은의 형태학적 구조

MG: 변연치은(Marginal gingiva)
M: 치은변연(Margin of the gingiva)
AG: 부착치은(Attached gingiva)
IDF: 치간구(Interdental folds)
MGJ: 치은점막경계부(Mucogingival junction)
FG: 유리치은(Free gingiva)
FGG: 유리치은구(Free gingival groove)
IP: 치간유두(Interdental papilla)
AM: 치조점막(Alveolar mucosa)

(3) 견고도(consistency) : 견고하고 탄력적임(변연치은의 경우 예외)

(4) 표면 구조(surface texture): 귤껍질과 같이 미세한 거칠기 보임(stippling)

(5) 크기: 치은의 크기는 세포와 세포간 성분, 혈관분포의 총합체에 따라 차이가 있으나 크기의 변화는 치은 질환에서 흔한 소견이다.

(6) 위치(position): 치은의 위치는 치은변연이 치아에 부착된 정도를 말한다.

(7) 탐침시 출혈 없음

2) 병적치은(Diseased gingiva)

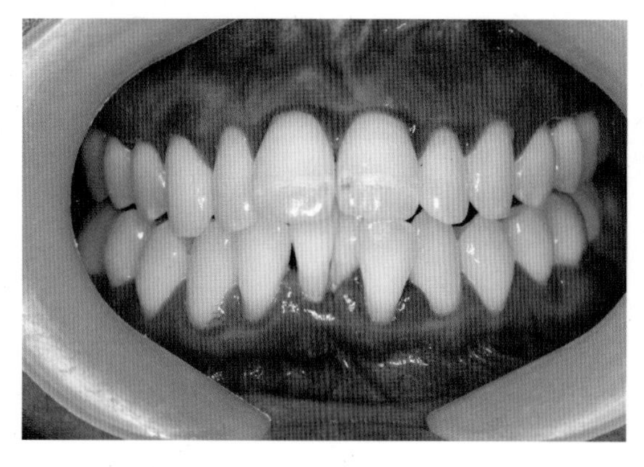

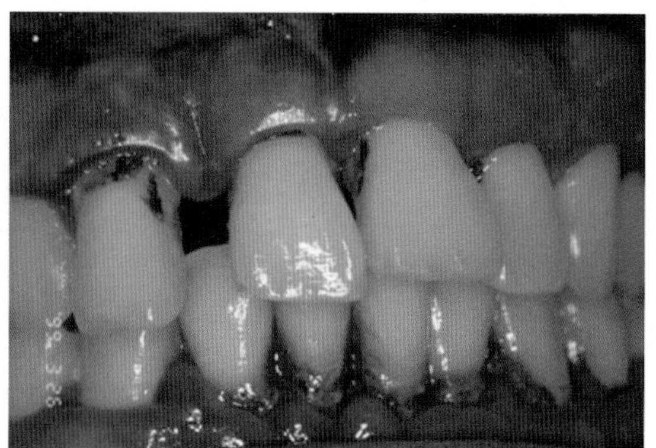

(1) 색상(Color)

① Pink : 장기간 진행된 치주질환

② Red : 홍반(erythema) / 급성 염증

③ Bluish-purple : 청색증(cyanosis) / 만성 염증

(2) 외형(Contour)

① 치은변연

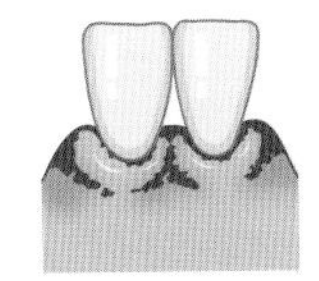
Rolled

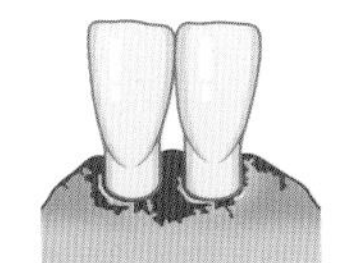
Recession

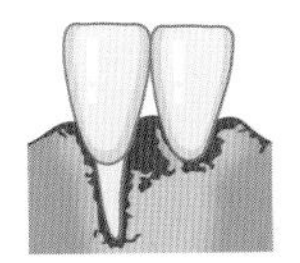
Cleft

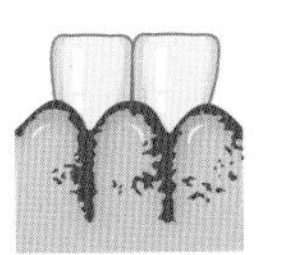
Clefts

② 치간 유두

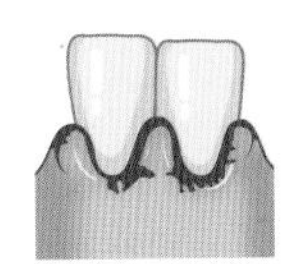
Bulbous

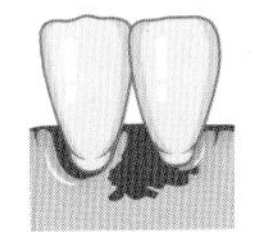
Blunted

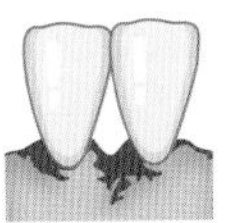
Cratered

(3) 견고도(consistency) : soft, spongy / edematous / retractable

(4) 표면 구조(surface texture) : loss of stippling / smooth and shiny

(5) 탐침 시 출혈

3) 부착치은, 소대, 근육 부착(Attached gingiva, Frenum and muscle attachment)

(1) 부착치은의 평가 방법

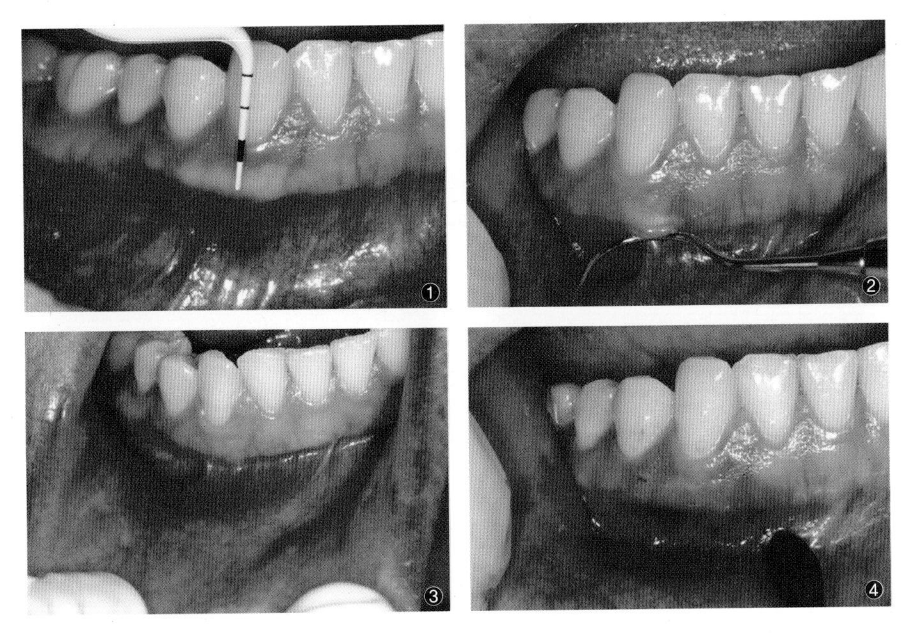

① Visualization

② Roll test

③ Retraction

④ Iodide application

부착 치은 폭경

상악		1	2	3	4	5	6	7
우측	A							
	F							
	H							
좌측	A							
	F							
	H							

상악		1	2	3	4	5	6	7
우측	A							
	F							
	H							
좌측	A							
	F							
	H							

* A : anatomical, F : functional, H : histological

2. 치주낭 Periodontal pocket

1) 정의

병적으로 깊어진 치은 열구(Pathologically deepened gingival sulcus)

2) 분류

(1) 치은낭

하부 치주조직의 파괴없이 치은비대(부종성 또는 섬유성)에 의해 발생

(2) 치주낭

지지 치주조직의 파괴를 동반한 접합상피의 근단측 이주에 의해 발생

참고

- 치주낭 기저부의 높이에 따라 : ① 골연상 치주낭 ② 골연하 치주낭
- 침범된 치면의 수에 따라 : ① 단순 치주낭 ② 복합 치주낭 ③ 복잡 치주낭 : 나선형 치주낭

(3) 증상 및 징후

① 비대된 청적색 변연, 둥글게 말린 변연

② 치간유두 : 연속성 소실

③ 화농성 삼출물

④ 치아 이동 : 정중부 치간 이개

⑤ 통증 : 국소적 통증(궤양)

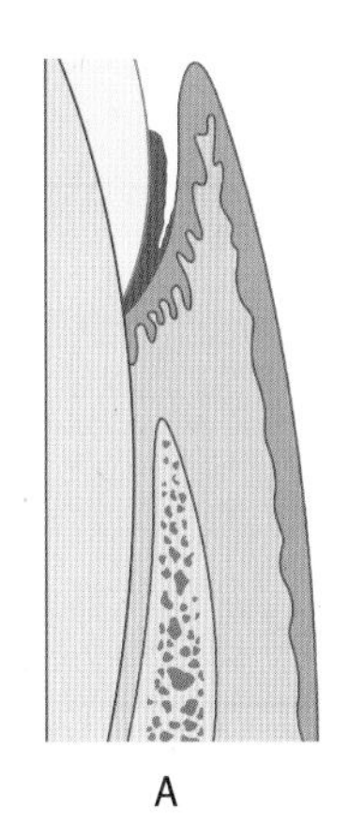

A

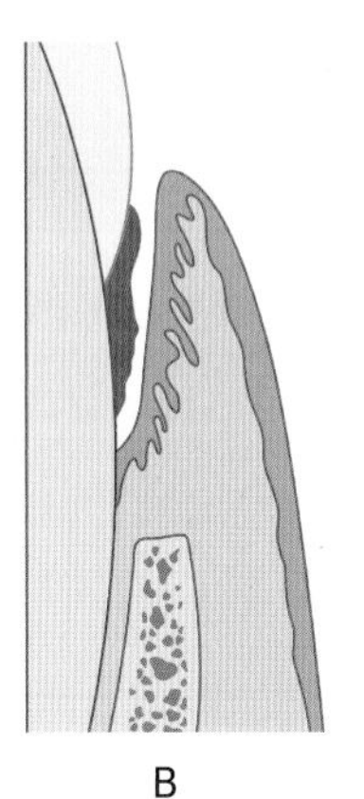

B

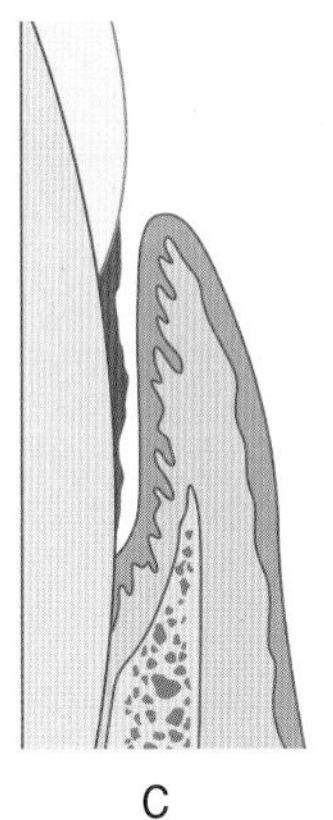

C

A. Gingival pocket
B. Suprabony pocket
C. Infrabony pocket

3) 치주낭 측정 방법

① 치주 탐침을 치아 장축에 평행하도록 치주낭에 삽입한다.

② 25g의 힘을 가하여 치주낭의 기저부에 치주 탐침의 끝이 닿도록 한다.

③ 좁고 깊은 부위를 빠뜨리지 않기 위해서는 이른바 walking technique으로 걷듯이 이동시킨다.

④ 인접면에서는 치주탐침을 치아 장축에 평행하도록 삽입할 경우, 치아 접촉부 하방의 치주낭을 탐지하지 못할 수 있으므로 약간 기울여 삽입한다.

⑤ 수복물의 과연장된 변연이나 치석으로 인하여 정확한 치주낭 깊이 측정이 불가능한 경우 과연장된 변연이나 치석을 제거해야 한다.

⑥ 통상 치아당 4~6 부위의 측정치를 기록하는 것이 일반적인데, 다근치에서는 측정부위를 더 늘리기도 한다.

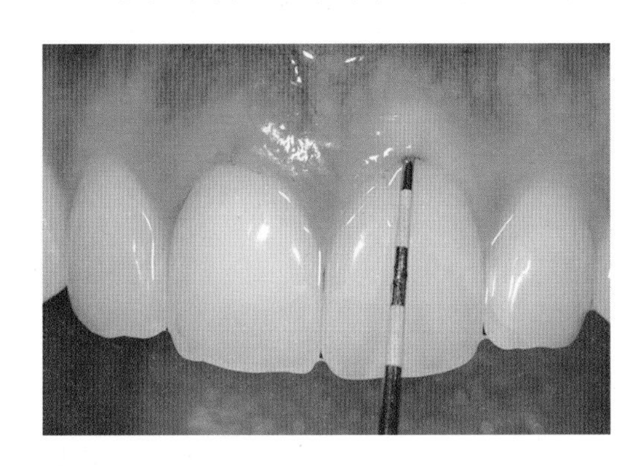

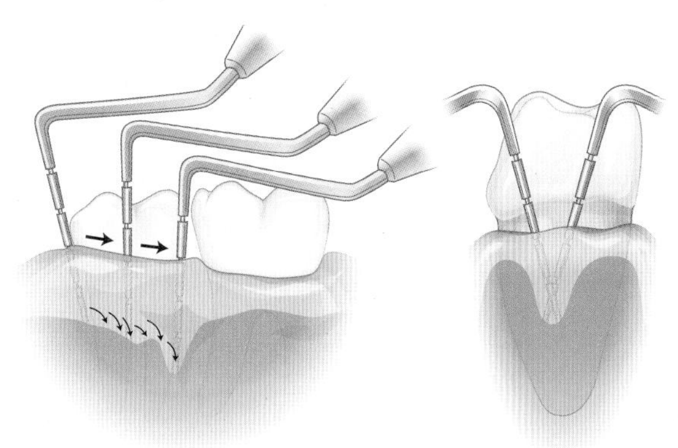

3. 임상부착수준 Clinical Attachment level, CAL

1) 정의

백악법랑경계에서 치주낭 기저부까지의 거리

2) 의미

① 임상적으로 치주낭 깊이보다 더 중요하다.

② 치주염의 심도(severity)를 결정하는 데 더 효과적

3) 결정방법

Clinical Attachment Level(CAL) = Gingival recession + pocket depth

① 치은연이 백악법랑경계와 같은 위치: CAL = pocket depth

② 치은연이 백악법랑경계보다 하방(근단부)에 위치: CAL > pocket depth

③ 치은연이 백악법랑경계보다 상방에 위치: CAL < pocket depth

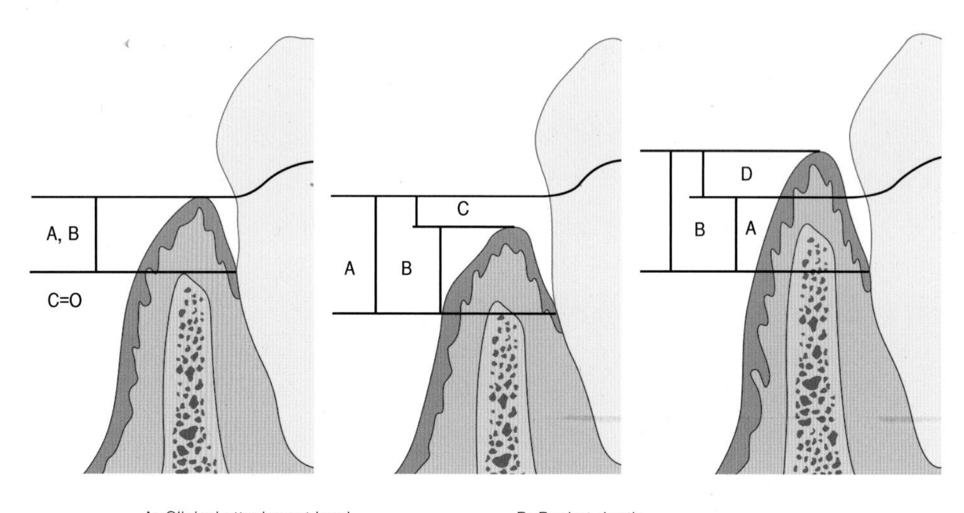

A: Clinical attachment level
B: Pocket depth
C: Gingival recession
D: Gingival pocket

참고

※ **치은 퇴축(Gingival recession)**

1) 정의

- 생리적 또는 병적으로 치은의 위치가 치근단방향으로 이동이 일어난 것.

2) 종류

① Visible : 임상적으로 관찰 가능

② Hidden : 치은으로만 덮여있어 단지 치주탐침으로만 측정 가능

3) 정상적으로 CEJ는 치은연에서 근단측으로 약 0.5 mm~2 mm에 존재

4) 병인 요소

① 잘못된 칫솔질

② 치아의 위치 이상

③ 연조직 마찰(gingival abrasion)

④ 치은염

⑤ 높은 소대 부착

⑥ 외상성 교합

4. 치근 이개부 병변 Furcation involvement

1) Glickman의 분류

Grade Ⅰ : Incipient or early lesion, slight bone loss, no radiographic change

Grade Ⅱ : Only partial penetration of the probe into the furca (cul-de-sac) The radiography may or may not reveal the grade Ⅱ involvement.

Grade Ⅲ : Complete loss of interradicular bone (occluded by gingival tissue)

Grade Ⅳ : Complete loss of interradicular bone, the visible furcation opening

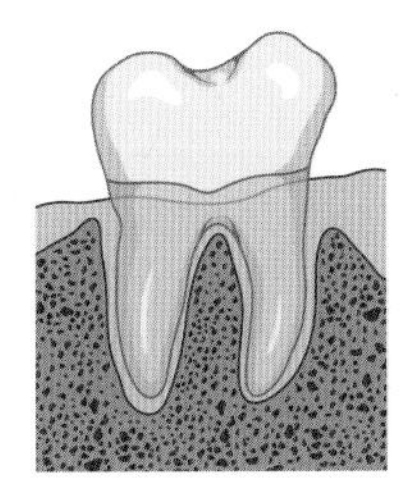
Grade I

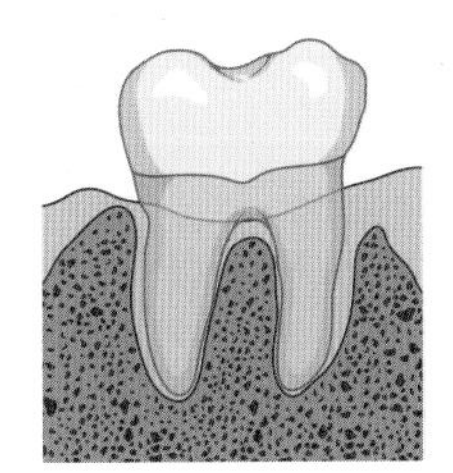
Grade II

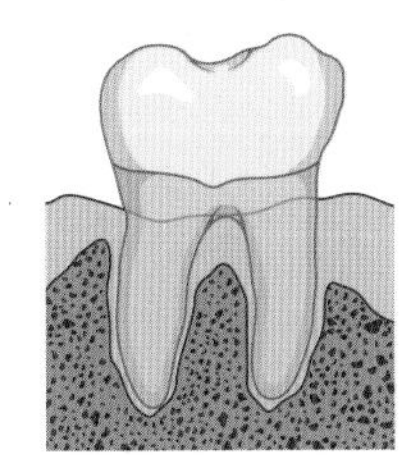
Grade III

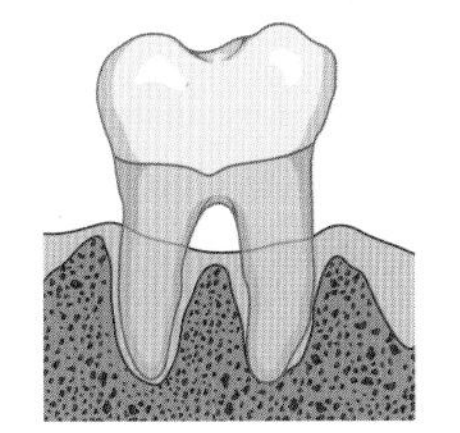
Grade IV

2) Lindhe의 분류

Degree 1 : Horizontal loss of supporting tissue not exceeding 1/3 of the width of the teeth

Degree 2 : Horizontal loss of supporting tissue exceeding 1/3 of the width ofthe tooth, but not encompassing the total width of the furcation area

Degree 3 : Horizontal "through-and-through" destruction of the supporting tissues

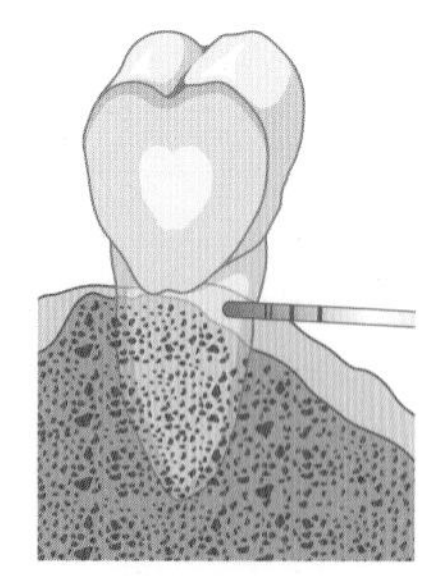
Degree 1

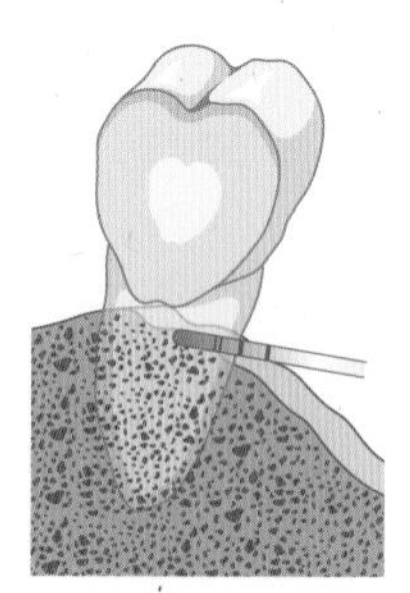
Degree 2

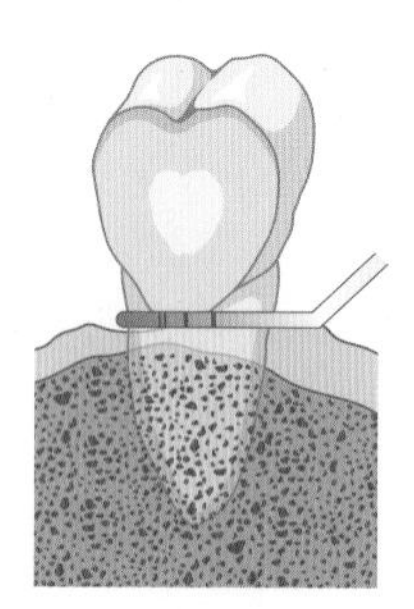
Degree 3

5. 치아 동요도 Tooth mobility

1) 분류

Grade 0 : 생리적인 동요

Grade 1 : 치관이 수평으로1 mm 이내의 동요도를 보일때

Grade 2 : 치관이 수평으로1 mm 이상의 동요도를 보일때

Grade 3 : 치관이 수직 및 수평으로 동요도를 보일때

2) 측정

치아 동요도를 측정하기 위해서는 치아의 양쪽에 금속기구를 대거나 설측에 손가락을 대고 협측에는 금속기구를 대고 눌러보아 동요도를 측정한다.

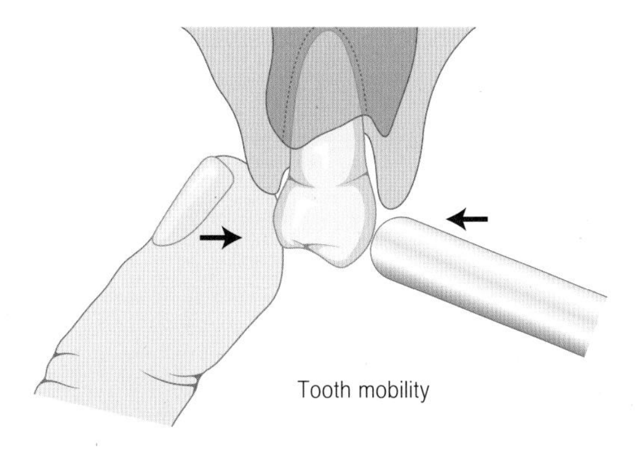
Tooth mobility

6. 기존 수복물 Existing restoration

1) 의원성 변연 자극(Iatrogenic Marginal Irritation)

부적절한 인접면 수복물, 치관 수복물 변연, 수복물의 거칠기, 시멘트 재료

1) Particle residue

2) Occlusal morphology, contact point

> **참고**
>
> • **의원성 변연 자극을 탐지하기 위한 방법**
> -임상적으로 explorer 이용
> -방사선학적 검사
>
> • **검사해야 할 요소**
> -Proximal filling margin
> -Crown margin
> -Roughness of filling or crowns
> -Cementing particles

7. 방사선학적 검사 Radiographic examination

1) 종류

1) Standard(Periapical view)
2) Panorama
3) Computed Tomography

2) 검사 사항

1) Length of support(Crown/root ratio)
2) Contour of alveolar crest
3) Lamina dura
4) Periodontal ligament space
5) Density of bone and trabeculation
6) Furcation involvement
7) Periodontal and/or periapical rarefaction
8) Caries, margin of restorations
9) Other abnormalities of teeth and bone

실 습

Periodontology

 실습 목표

여러 가지 치주 검사 항목들을 실제로 평가하고 작성해 봄으로써 치주 상태를 평가할 수 있는 능력을 향상시키고, 각각의 항목이 가지는 의미를 이해한다.

 실습 준비물

치주 탐침, 핀셋, 미러

 실습 내용

1. 2인 1조가 되어 부착 치은 폭경, 치은 퇴축량, 치주낭 깊이, 치아 동요도를 측정해 본다.
2. 실제로 사용되는 차트를 숙지한다.

치주낭, 치은퇴축, 임상부착수준

이름 : ________ 성별: 남 / 여 연령 :

		18	17	16	15	14	13	12	11	21	22	23	24	25	26	27	28
Buccal	GR																
	PD																
	CAL																
Palatal	CAL																
	PD																
	GR																

		48	47	46	45	44	43	42	41	31	32	33	34	35	36	37	38
Ingual	GR																
	PD																
	CAL																
Buccal	CAL																
	PD																
	GR																

GR: gingival recession, PD: pocket depth, CAL: clinical attachment level

Buccal

GR																
PD																
CAL																

Palatal

CAL																
PD																
GR																

								BOP.								
								Mob.								

Lingual

GR																
PD																
CAL																

Buccal

CAL																
PD																
GR																

								BOP.								
								Mob.								

Buccal

GR																
PD																
CAL																

Palatal

CAL																
PD																
GR																

								BOP.								
								Mob.								

Lingual

GR																
PD																
CAL																

Buccal

CAL																
PD																
GR																

								BOP.								
								Mob.								

Buccal

GR																
PD																
CAL																

Palatal

CAL																
PD																
GR																

								BOP.								
								Mob.								

Lingual

GR																
PD																
CAL																

Buccal

CAL																
PD																
GR																

								BOP.								
								Mob.								

Buccal

GR																
PD																
CAL																

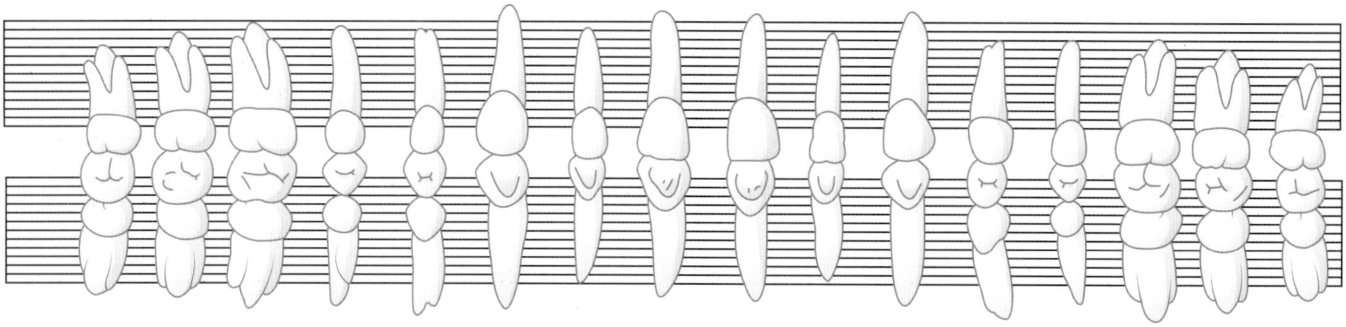

Palatal

CAL																
PD																
GR																

								BOP.								
								Mob.								

Lingual

GR																
PD																
CAL																

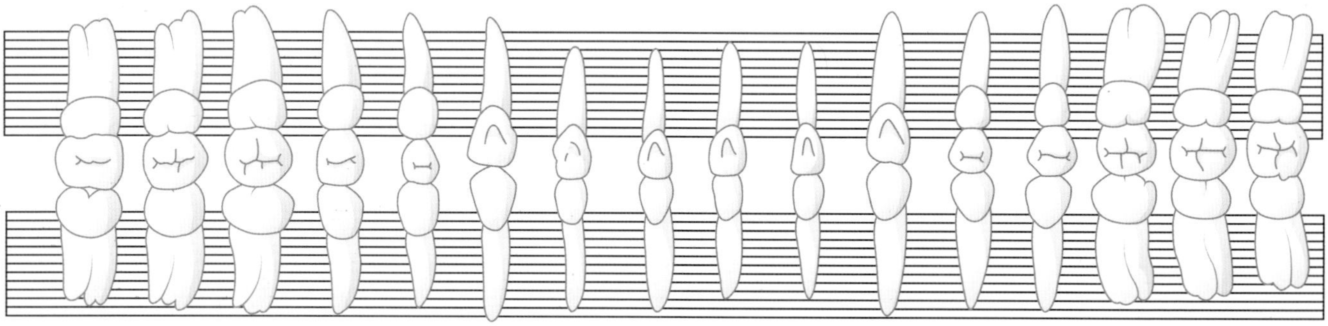

Buccal

CAL																
PD																
GR																

								BOP.								
								Mob.								

Buccal

GR																
PD																
CAL																

Palatal

CAL																
PD																
GR																

								BOP.								
								Mob.								

Lingual

GR																
PD																
CAL																

Buccal

CAL																
PD																
GR																

								BOP.								
								Mob.								

Buccal

GR																
PD																
CAL																

Palatal

CAL																
PD																
GR																

								BOP.								
								Mob.								

Lingual

GR																
PD																
CAL																

Buccal

CAL																
PD																
GR																

								BOP.								
								Mob.								

Buccal

GR																
PD																
CAL																

Palatal

CAL																
PD																
GR																

								BOP.								
								Mob.								

Lingual

GR																
PD																
CAL																

Buccal

CAL																
PD																
GR																

								BOP.								
								Mob.								

Buccal

GR																
PD																
CAL																

Palatal

CAL																
PD																
GR																

								BOP.								
								Mob.								

Lingual

GR																
PD																
CAL																

Buccal

CAL																
PD																
GR																

								BOP.								
								Mob.								

Buccal

GR																
PD																
CAL																

Palatal

CAL																
PD																
GR																

								BOP.								
								Mob.								

Lingual

GR																
PD																
CAL																

Buccal

CAL																
PD																
GR																

								BOP.								
								Mob.								

Buccal

GR																
PD																
CAL																

Palatal

CAL																
PD																
GR																

								BOP.								
								Mob.								

Lingual

GR																
PD																
CAL																

Buccal

CAL																
PD																
GR																

								BOP.								
								Mob.								

Buccal

GR																
PD																
CAL																

Palatal

CAL																
PD																
GR																

								BOP.								
								Mob.								

Lingual

GR																
PD																
CAL																

Buccal

CAL																
PD																
GR																

								BOP.								
								Mob.								

치주과 외래기록지

등록번호:	성명:	성별: 남 / 여	나이:
주소:		현증:	

치주상태 I

치태

치아	6	3	2	1	1	2	3	6
치은연상								
치은연하								

치석

치아	6	3	2	1	1	2	3	6
치은연상								
치은연하								

원인

국소인자:

교합인자:

전신인자:

치료시 중요한 전신인자

진단

예후

Good ☐ Fair ☐

Questionable ☐ Poor ☐

권장사항:

치료계획

____ 응급치료

____ 구강위생교육

____ 치석제거술 및 치근활택술

____ 치은연하 소파술

____ 외과적 소파술

____ 치은 절제술, 치은 성형술

____ 판막소파술

____ 골이식

____ 편측(반측)절단, 치근절제

____ 점막치은수술

____ 교합교정

____ 임시고정

____ Night guard

____ 치아이동

____ 지각과민처치

____ 인공치아매식술

• GBR

• Ridge Augmentation

____ Others

Chapter 04
치주질환 역학 연구
Epidemiologic study

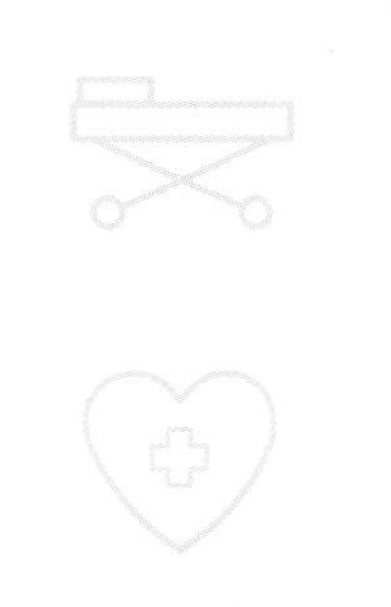

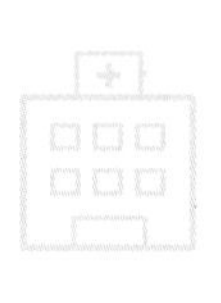

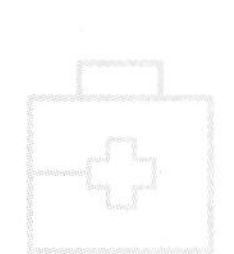

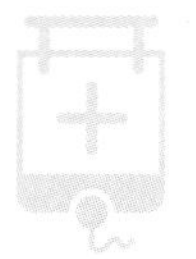
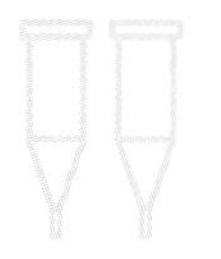

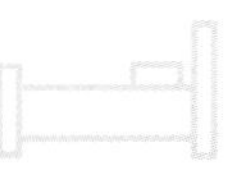
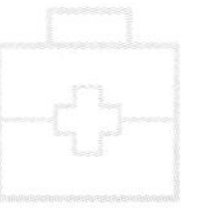

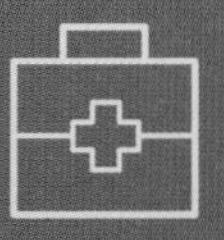

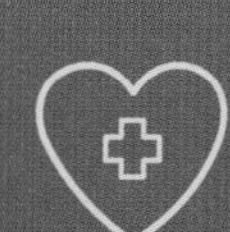

실습목표

- 학생은 기본적인 치주검사를 할 수 있고 필요한 치주지수들을 측정할 수 있다.
- 학생은 치주검사 및 치주지수 측정 결과를 해석하고 평가할 수 있다.
- 학생은 검사결과를 환자에게 설명할 수 있다.

핵심평가요소

- 치태검사를 수행할 수 있는가?
- 치은지수, 치주지수를 측정할 수 있는가?
- 진단결과를 환자에게 정확히 설명할 수 있는가?

치주질환을 연구하는 데에 사용되는 지수

역학지수는 임상적 상태를 임상적 척도로 정량화하여 같은 기준과 방법에 의해 검사된 집단 사이의 비교를 용이하게 하기 위해서 다음과 같은 조건을 만족해야 한다. 사용하기 쉬워야 하고 단시간 내에 많은 사람을 검사할 수 있어야 하며, 임상적 상태를 객관적으로 나타낼 수 있어야 하고, 재현성이 높아야 하며, 특정 질환의 임상적 상태와 수적으로 밀접하게 연관되어 있어야 한다.

1. 치태지수 Plaque index

1) Silness and Löe의 치태지수

Score 0 : 치태가 부착되지 않은 상태

1 : 치아와 유리치은 변연부에 치태가 부착된 상태로서 치주탐침(Probe)로 치면을 긁어보아야 확인할 수 있는 엷은 상태

2 : 치은낭과 치은 변연과 인접 치면을 따라 육안으로 확인할 수 있을 정도로 과량의 치태가 부착되어 있고 치간 사이에는 치태가 없는 상태

3 : 치은낭과 치은 변연에 많은 양의 치태가 침착되어 있고 치간 사이에도 치태로 채워져 있는 상태

측정 대상 : #16, #21, #24, #36, #41, #44

측정 치면 : 근심협면, 협면 중앙부, 원심협면, 설면 중앙부

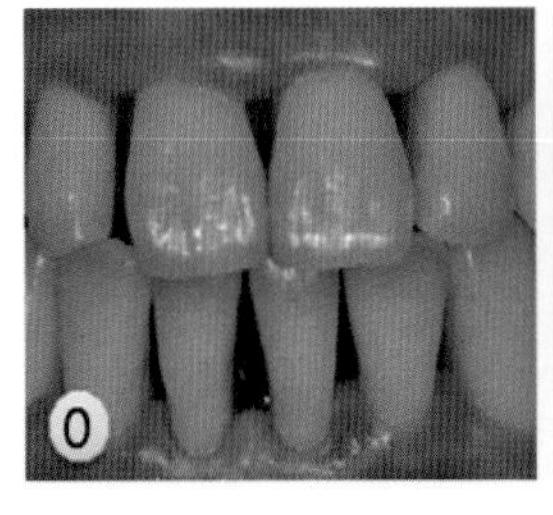

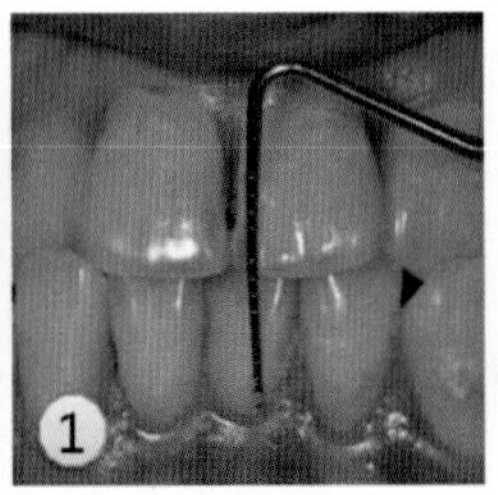

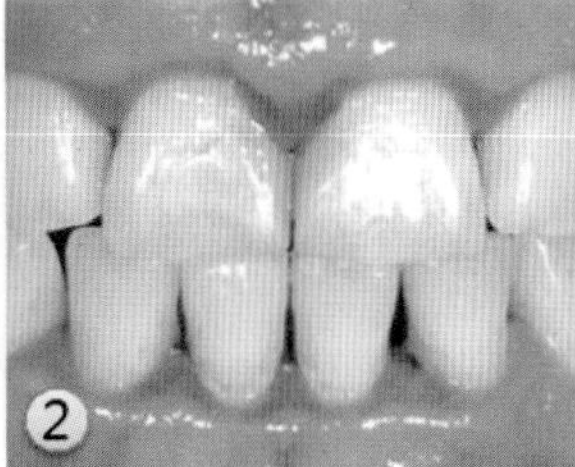

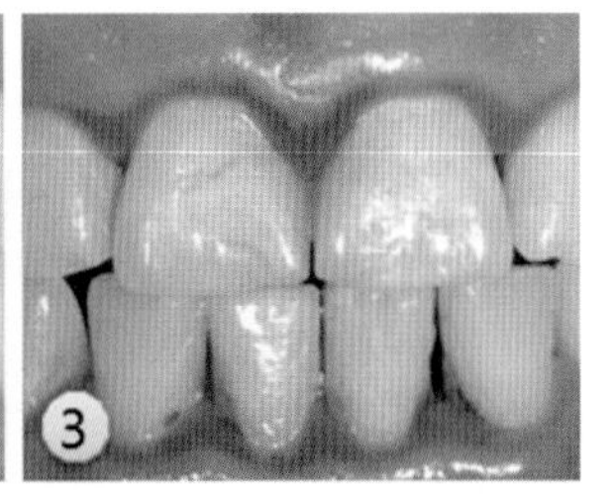

2) Quigley and Hein 치태지수

Disclosing solution으로 염색한 후 측정

Score 0 : 염색된 것이 하나도 없을 경우

1 : 치경부를 따라 점상으로 띄엄띄엄 있는 경우

2 : 치경부를 따라 1 mm이하의 선상으로 존재하는 경우

3 : 치면의 1/3 이하로 존재하는 경우

4 : 치면의 1/3~2/3 정도로 존재하는 경우

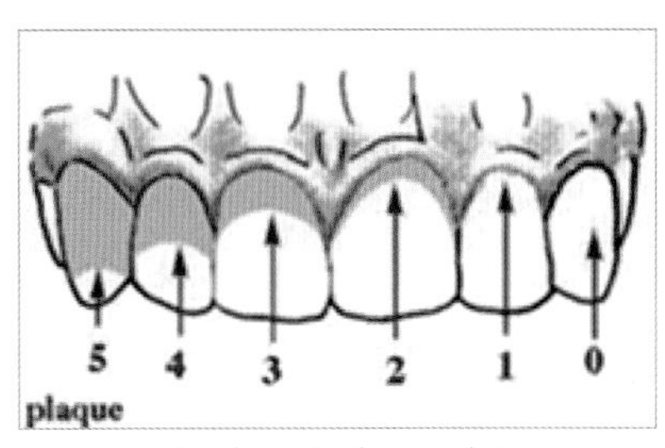

Quigley Hein Ploque Index

5 : 치면의 2/3 이상으로 존재하는 경우

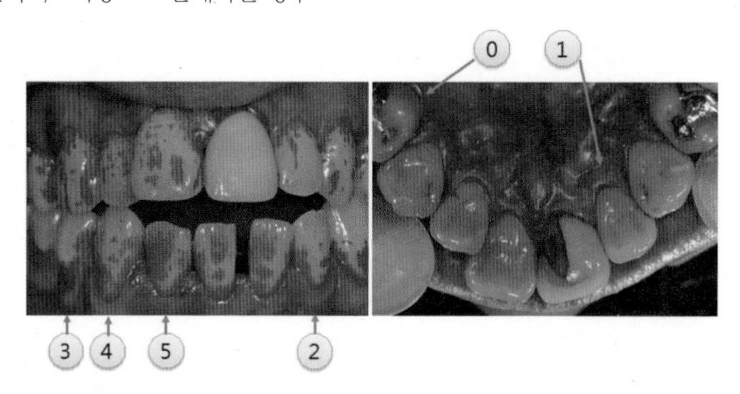

3) O'Leary plaque index

착색제를 적용 후 치면을 근심, 원심, 협면, 설면의 네 부분으로 나누어 측정

$$※\ \text{O'Leary plaque index} = \frac{(\text{검사 치면 점수의 합})}{(\text{모든 치아수와 가공치+임플란트})} \times 100\ (\%)$$

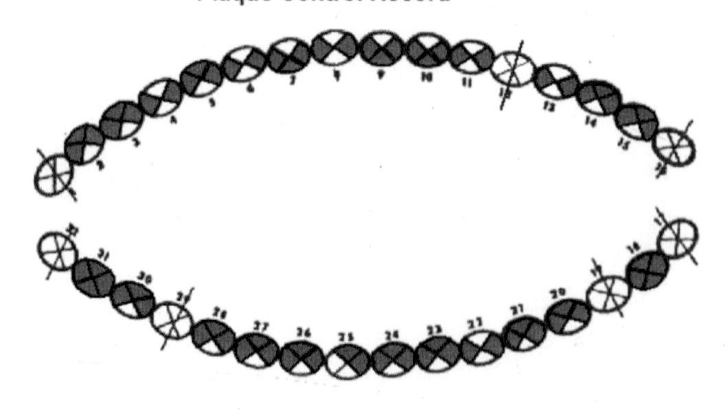

(O' Leary T, Drake R, Naylor, 1972)

■ 임상적 의의

① 착색된 치면이 많을수록 검사 결과는 높아지고, 치면세균막 관리능력이 미흡하다는 의미

② 10 % 이하로 낮추도록 환자의 치면세균막 관리능력을 향상시키는 것이 목표

2. 치은염증지수 Gingival inflammation index

1) 치은열구출혈지수(Sulcus bleeding index : SBI, Mulemann & Son)

치주 탐침 후 30초 이내의 출혈을 관찰

score 0 : 치은이 건강하고 치은 출혈이 없는 경우
1 : 치은 출혈이 있으나 치은 변색과 부종이 없는 경우
2 : 치은 출혈과 변색은 있으나 부종이 없는 경우
3 : 치은 출혈, 변색 및 부종을 수반한 경우
4 : 치은 출혈, 변색, 부종 및 궤양을 수반한 경우
5 : 치은 출혈이 저절로 되고 변색이 있으며 현저한 부종 및 궤양이 있는 경우

측정 치면 : 근심 치간유두, 원심 치간유두, 협측 변연치은, 설측 변연치은

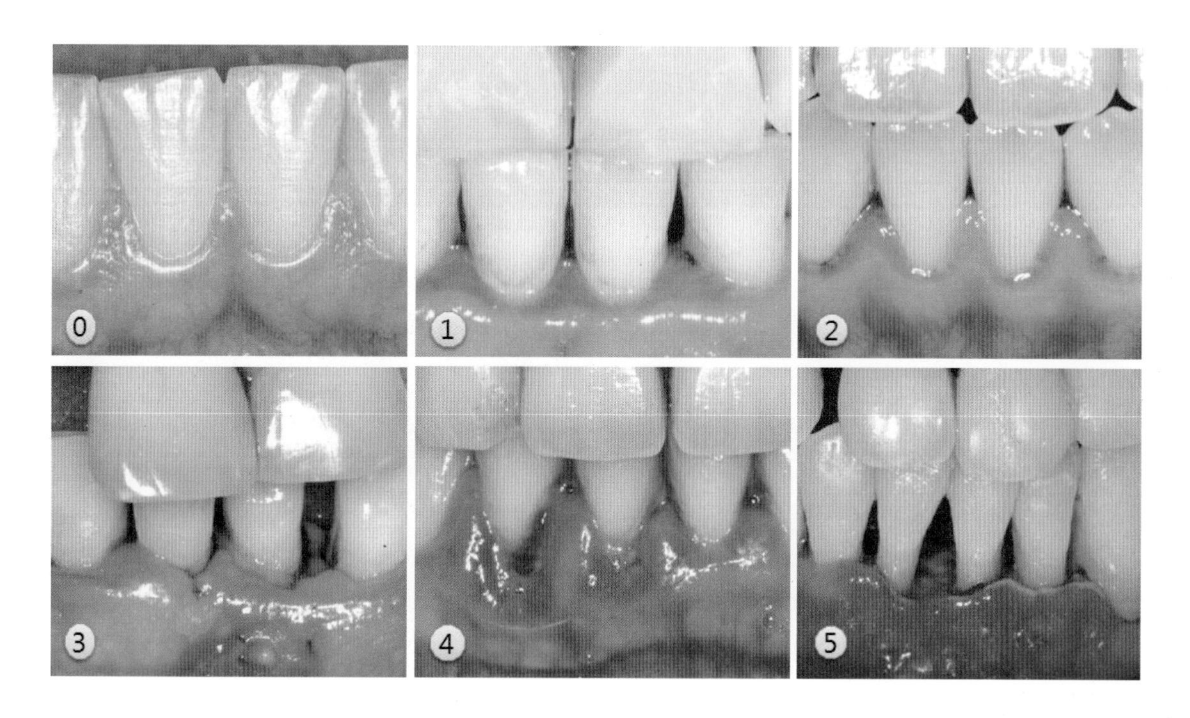

2) 치은지수(Gingival index : GI, Löe and Silness)

score 0 : 정상 치은
1 : 경한 염증, 경미한 색조 변화, 가벼운 부종, 치주 탐침에 의한 출혈 성향이 없는 경우
2 : 중증 염증, 발적, 부종, 치은의 색조 변화, 치주 탐침에 의한 출혈이 있는 경우
3 : 심한 염증, 상당한 발적과 부종, 궤양이 있으며 계속적인 출혈이 있는 경우

측정 대상 : 전체치아의 근심협면, 협면 중앙부, 원심협면, 설면 중앙부

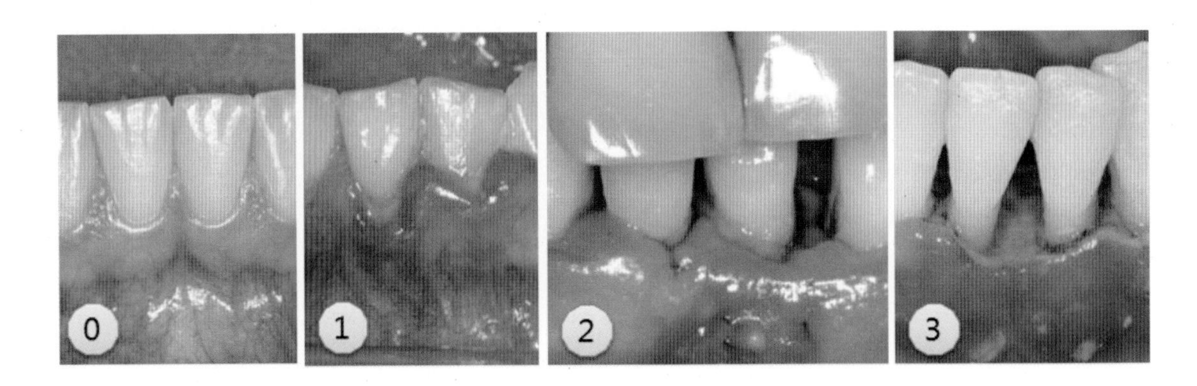

3) 치간유두출혈지수(Papillary bleeding index : PBI)

치주탐침(Probe)로 유두의 근심면과 원심면의 탐침 후 출혈 유무 및 양에 따라 평가

score 0 : 출혈이 없는 경우
1 : 탐침 후 20~30초 이내에 한 군데 이상에서 출혈
2 : 선상으로 출혈이 있는 경우
3 : 출혈이 유두의 끝에서부터 확산
4 : 치간 유두 전체에 출혈이 확산

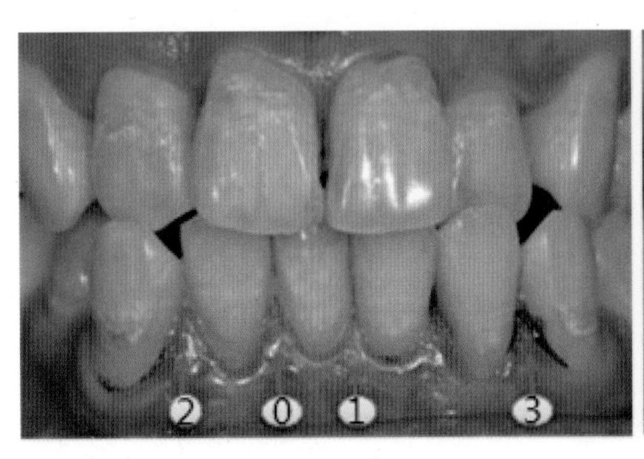

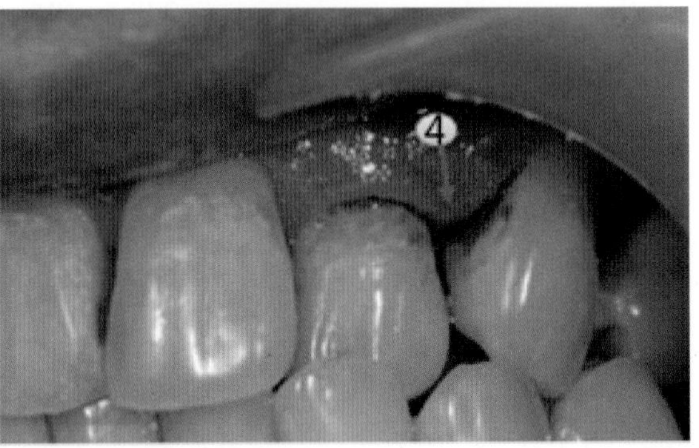

4) 치은출혈 유무

치주탐침(Probe)로 치은 열구 탐침 후 출혈 유무 평가

score 0 : 정상 치은
1 : 탐침 시 출혈

3. 치주지수 Periodontal index ; PI, Russel, 1956

score 0 : Negative
1 : Mild gingivitis
2 : Gingivitis radiographic appearance is essentially normal
4 : (used when radiographs are available) Early notch-like resorption of alveolar crest
6 : Gingivitis with pocket formation
8 : Advanced destruction with loss of masticatory funtion advanced bone loss(1/2 of root length), infrabony pocket with widening of periodontal ligament, rarefaction of the apex area

4. 치주질환지수 Periodontal disease index, Ramfjord, 1959

6	1 4
4 1	6

의 여섯 치아를 대상으로 측정함.

score 0 : 염증이 없는 경우
1 : 경증에서 중증도의 염증 변화가 있으나 치아 주위로 확산되지 않은 경우
2 : 치아 주위로 확산된 경증에서 중증도의 치은염
3 : 심한 치은염으로 발적, 부종, 출혈 성향이 뚜렷하고 궤양을 수반하는 경우
4 : CEJ에서 치근단쪽으로 3 mm 이하의 열구 혹은 낭이 있는 경우
5 : CEJ에서 치근단쪽으로 3~6 mm의 낭이 있는 경우
6 : CEJ에서 치근단쪽으로 6 mm이상의 낭이 있는 경우

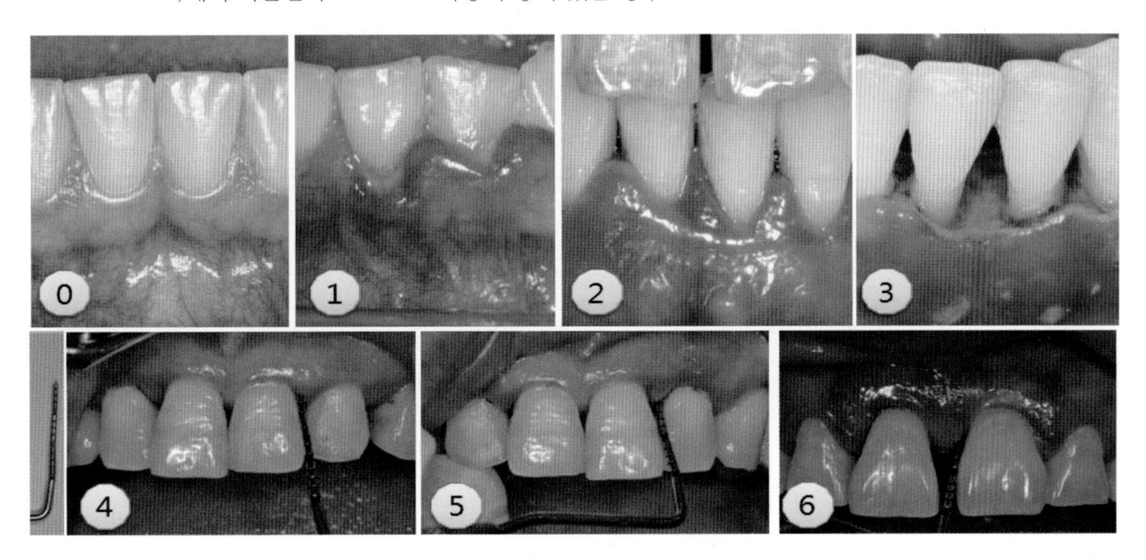

실 습

Periodontology

실습 목표

치주질환을 연구하는 데 사용되는 여러 역학 지수를 실제로 측정하고 작성하여 봄으로써 그 의미를 이해해 본다.

실습 준비물

치주탐침(probe), 핀셋, 미러, 치태착색제(disclosing agent)

실습 내용

2~3인 1조를 이루어 치은열구 출혈지수(SBI), 치은지수(GI), O'leary 치태지수, 치태지수(PI)를 측정하고 작성한다.

1. 치태지수(Plaque index, Silness and Löe) 측정

치아번호	#16			#21	#24	
B / P						
L / B						
치아번호		#44	#41			#36

치아번호	#16			#21	#24	
B / P						
L / B						
치아번호		#44	#41			#36

2. 치은열구 출혈지수(SBI), 치은지수(GI), O'Leary 치태지수 측정

		18	17	16	15	14	13	12	11	21	22	23	24	25	26	27	28
치은열구 출혈지수(SBI)	B																
	P																
치은지수 (GI)	B																
	P																
O'Leary	B																
	P																
		48	47	46	45	44	43	42	41	31	32	33	34	35	36	37	38
O'Leary	L																
	B																
치은지수 (GI)	L																
	B																
치은열구 출혈지수(SBI)	L																
	B																

Chapter 05
치료계획
Treatment plan

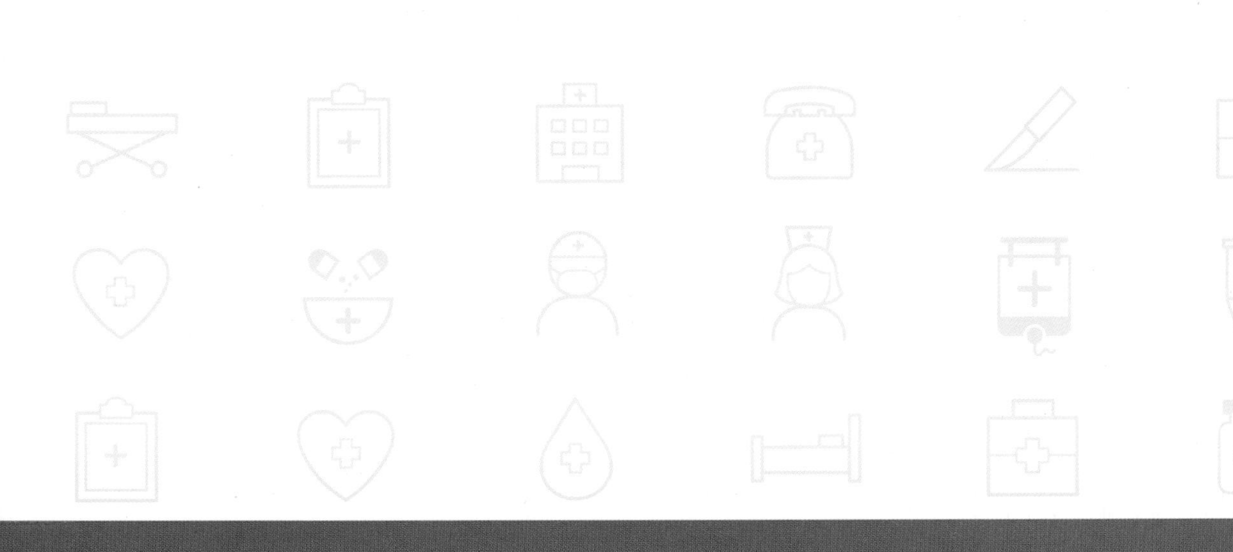

실습목표

- 환자의 치주상태를 파악하여 치과 진료시 이를 고려한 포괄적 치료계획 수립이 가능한가?
- 환자의 상태에 맞는 정확한 진단과 개개 치아에 대한 예후를 예측할 수 있는가?
- 응급단계에서 부터 수복단계까지 이해하고 적절한 치료계획을 수립할 수 있는가?
- 임플란트를 포함한 치료계획을 수립할 수 있는가?

핵심평가요소

- 환자의 치주상태를 파악하였는가?
- 이를 근거로 적절한 치료계획을 수립하였는가?
- 개개 치아의 예후를 예측할 수 있는가?
- 응급단계에서 수복단계까지의 과정을 이해하고 적절한 치료계획을 수립하였는가?
- 임플란트를 포함한 치료계획을 수립하였는가?

1. 정의

1. 치은염 : 치태연관치은염은 부착소실이 없이 치은에만 국한된 염증이 나타난다.

2. 만성 치주염은 주위 부착조직까지 퍼진 치은의 염증으로 정의된다. 치주인대 및 주위 지지골의 파괴에 의한 부착소실을 특징으로 한다.

3. Dental prophylaxis (prophy)는 국소적 원인인자를 조절하기 위해 치태, 치석, 착색 등을 제거하는 것을 의미하고, 치은연상과 치은연하 치아 표면의 치석제거를 포함한다.

4. Periodontal scaling and root planing (scaling/root planing or S/RP)는 치아 표면의 치태와 치석을 제거할 뿐만 아니라 독소와 미세세균으로 오염되거나 거칠어진 백악질과 상아질을 제거하는 술식이다.

5. Pocket Depth (PD) 측정은 아래의 6가지 부위를 측정한다.

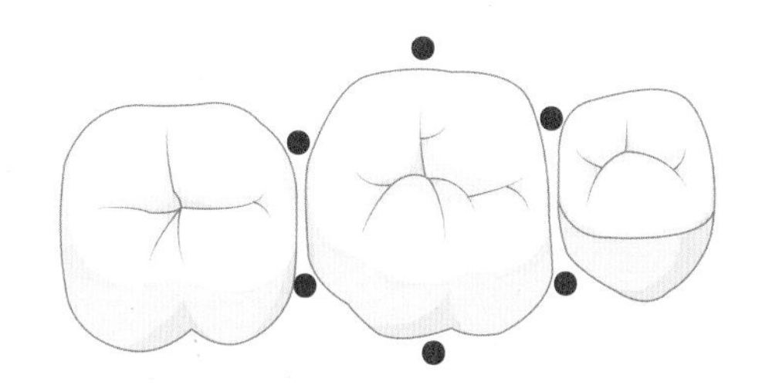

6. Bleeding on Probing (BOP)는 치주낭측정 이후 30초 이내에 출혈되는 부위를 차트에 빨간 점으로 표시한다.

7. Furcation involvement 치근이개부 병변(Hamp 등의 분류)
   - 1도: 치주지지의 수평적인 파괴가 치아폭의 1/3을 넘지 않는 경우
   - 2도: 치주지지의 수평적인 파괴가 치아폭의 1/3은 넘지만 치근이개부 전체를 완전히 개통하지 않은 경우
   - 3도: 치주지지의 구평적인 파괴가 수평적으로 완전히 개통한 경우

8. Molbility
   - 0도: 정상 동요도

- 1도: 치관이 수평으로 1 mm 이내의 동요도를 보일 때
- 2도: 치관이 수평으로 1 mm 이상의 동요도를 보일 때
- 3도: 치관이 수직 및 수평으로 동요도를 보일 때

9. Clinical Attachment Measurement

임상적 부착수준(clinical attachment level/CAL)은 CEJ에서 치주낭/치은열구 기저부까지의 거리를 말한다. 치주낭깊이(probing depth)는 열구의 기저부(probe tip의 위치)에서 치은 변연까지의 거리로 측정된다. generic millimeter periodontal probe로 고정된 CEJ를 기준점으로 임상적 부착수준을 측정한다. 치주질환에 이환된 경우, 치은변연의 위치는 치근단측으로 내려간 치은열구의 기저부와 관계가 없으므로, 치주질환의 유무 및 심각성은 임상적 부착수준으로 평가한다. 아래 그림은 점진적으로 진행된 치주질환을 나타낸 것이다.

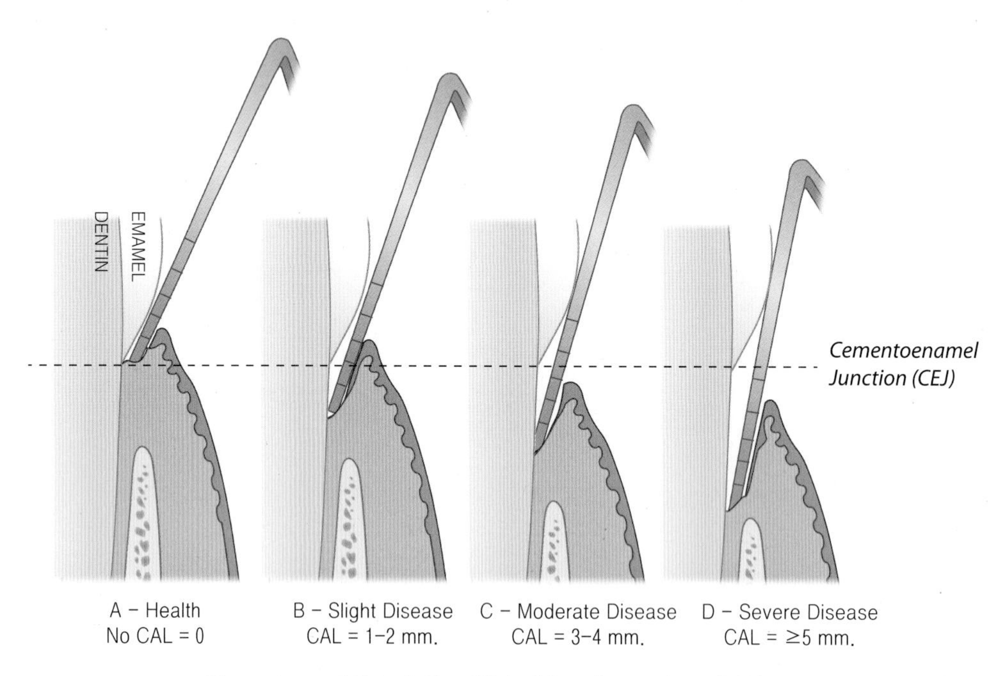

Measuring and Calculating Clinical Attachment Loss (CAL)

'A' - Health (or normal) : 치주낭이 CEJ보다 치관측에 위치하며, 부착소실은 없다.

'B' - Slight : 치은변연의 위치는 변하지 않고, 치주낭깊이는 깊어진 상태다.
부착소실의 정도는 치은변연에서 CEJ까지의 거리보다 작다.

'C' - Moderate : 치은변연이 CEJ에 위치하여, 부착소실과 치주낭깊이가 같다.

'D' - Severe : 치은변연이 CEJ보다 근첨쪽에 위치한다.
부착소실은 CEJ에서 치주낭 기저부까지의 거리이다(또는 치은퇴축량과 치주낭 깊이를 합한 값이다).

치아별로 부착소실을 측정하여 질환의 심각성을 진단할 수 있다.

- Health : CAL = 0 mm
- Slight : CAL = 1 - 2 mm
- Moderate : CAL = 3 - 4 mm
- Severe : CAL ≥ 5 mm

10. Unhealthy Gingival Tissue는 홍반, 부종, 궤양, 청색증과 같은 임상적인 염증소견을 보인다. 염증소견과 관련된 치은의 외형변화는 병적인 것으로 간주되며, 염증소견 없이 비정상적인 외형은 건강한 치은으로 간주된다.

11. 수평적 골소실은 방사선사진상에서 인접한 CEJ 연결선과 평행하게 골소실이 일어난 것으로 정의한다. 정상적인 치조정은 CEJ에서 근첨방향으로 2.0 mm 하방에 위치한다.

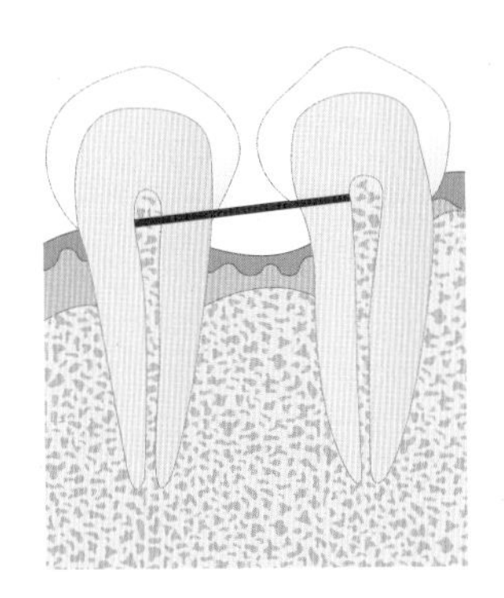

수평적 골소실(삼각형 형태의 angular bony defect)

12. 수직적 골소실은 방사선 사진상에서 치간부위의 치관측에서 치근면을 따라 사선으로 나타난다.

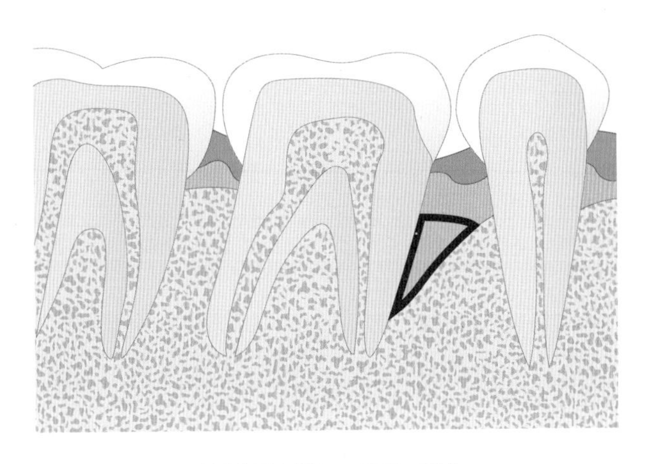

수직적 골소실(2 mm까지는 정상)

13. 예후란 건강하고 기능적인 치열을 유지하기 위해 치료에 대한 반응이나, 장기적인 결과를 예측하는 것을 말한다. 개개 치아의 예후는 환자의 연령, 전신건강, 개개 치아의 상태 등 여러 가지를 종합적으로 고려하여 결정해야 하는 것으로 절대적인 것은 아니다.

- 좋은 예후(Good prognosis) - 정상 또는 경미한 부착소실을 갖거나, 치주지지가 적절하거나, 동요도가 없고, 치근이개부 병변이 없으며, 원인요소의 조절이 용이한 경우, 환자의 협조도가 좋은 경우.
- 적절한 예후(Fair prognosis) - 경미하거나 경도의 부착소실을 갖거나 1도의 치아 동요도나 치근이개부병변이 있는 경우. 환자의 협조도가 좋으며, 이개부의 위치 및 깊이가 유지관리에 용이한 경우.
- 의심스러운 예후(Questionable prognosis) - 심각한 부착소실로 인한 불량한 치관 치근 비율, 유지관리에 용이하지 않은 Class 2 치근이개부 병변, 2도와 3도의 치아 동요도, 심한 치근 근접도 등 위와 같은 것이 한 가지 이상인 경우
- 절망적인 예후(Hopeless prognosis) - 의심스러운 예후(Questionable prognosis)에 해당하는 것이 한 가지 이상인 경우와 더불어 치아의 건강과 편안, 기능을 유지하기가 어려운 부착을 가진 경우. 발치가 권장되며, 적극적인 치주치료(비외과적 혹은 외과적)로 치아의 상태가 호전되기 어렵다.

14. 치주염의 분류

치주염의 분류는 진행 속도와 질환의 심도를 기반으로 한다.

1) 진행 속도

- 급진성 치주염 – 빠른 부착소실과 골 파괴를 특징으로 하며, 치태와 치석의 축적 양이 치주 조직 파괴의 정도와 일치하지 않는다.
- 만성 치주염 – 치아 주변 조직의 염증을 특징으로 하며, 진행된 부착 및 골 소실과 치주낭 형성, 치은 퇴축 등을 보인다. 모든 연령에서 발병 가능하나, 대부분 성인에서 많이 관찰된다.

2) 만성 치주염의 분포

- 국소적 형태(Localized condition) – 부착과 골 소실이 30% 보다 적거나 같은 경우
- 전반적 형태(Generalized condition) – 부착과 골 소실이 30% 보다 큰 경우

3) 치주질환의 심도

- 치은염(Gingivitis) - 치은에 국한되어 나타나는 염증으로 아래의 징후 중 한 가지 이상을 포함하는 경우: 색조 변화, 치간 유두나 치은연의 외형 변화, 조직의 견고성 변화
- 경도 치주염(Slight periodontitis) – 부착소실이 1~2 mm 정도를 나타낸다.
- 중등도 치주염(Moderate periodontitis) – 부착소실이 3~4 mm 정도를 나타내며, 치아동요도의 증가와 치근이개부 병변이 동반된다.
- 중도 치주염(Severe periodontitis) – 부착소실이 5 mm 이상을 나타내며, 치아동요도의 증가와 치근이개부 병변 및 치은치조점막의 결함이 동반된다.

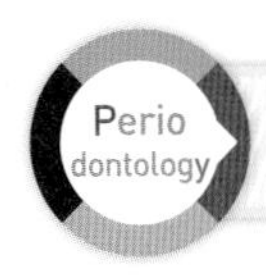

2. 치료계획 세우기

1) Medical history review

환자의 전신질환을 점검하여 치과치료를 진행하는 데 제한이 있는지를 점검한다. 보다 전문적인 견해를 위하여 medical doctor에게 의뢰서를 보내어 치과치료의 가능 여부, 주의사항, 필요한 처치 등에 관해 의견을 나눈다.

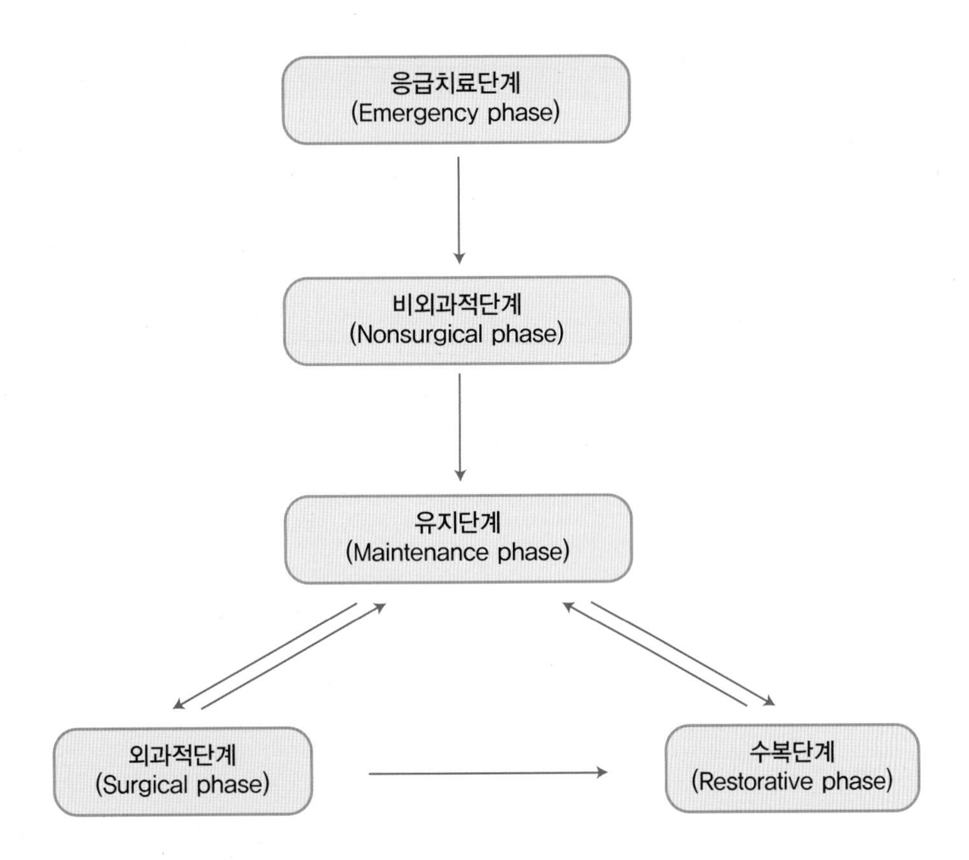

2) 가장 먼저 시행해야 할 치료 [응급치료(환자의 통증이나 치성농양)]

즉시 처치해 주어야 할 치료를 실시한다. 가장 흔한 예로 치주 농양과 치아동요도가 심한 치아가 이에 해당될 수 있다. 이는 주로 환자의 동통이나 불편감과 연관이 있는데 이를 해결하는데 있어서도 medical history review가 반드시 동반되어야 한다. 동통과 불편감이 심하더라도 확인해야 할 전신질환이 있는 경우는 적극적인 처치를 미루는 것이 바람직하다.

3) 발치할 치아의 결정(치주과학 교과서 chapter 20)

(1) 치아를 발치해야 하는 경우:

- 흔들려서 기능 시 이가 아픈 경우
- 치료하는 동안 급성 농양 유발 가능 시
- 전체적인 치료계획 내에서 필요 없을 시

(2) 치료후까지 발치를 연기하고 임시적으로 치아를 유지하는 경우

- 구치부 occlusal stop 유지
- 전방부 심미적인 부위에는 치주치료 동안 치아는 유지
- 인접치의 치주수술계획이 있는 경우 수술 받을 때까지 기다렸다가 발치가능

4) 치주치료 계획

염증의 심도, 치주낭 깊이, 치주부착소실 및 분지부등의 해부학적 양상을 고려하여 비외과적 치주치료 및 외과적 치주치료를 계획한다.

치수-치주 복합 병소의 경우, 두가지 원인에 대한 정확한 분석/진단이 필요하며 이에 따른 치료 계획이 중요하다. 이에 대한 아래의 decision tree를 고려하여 치료 계획을 수립한다.

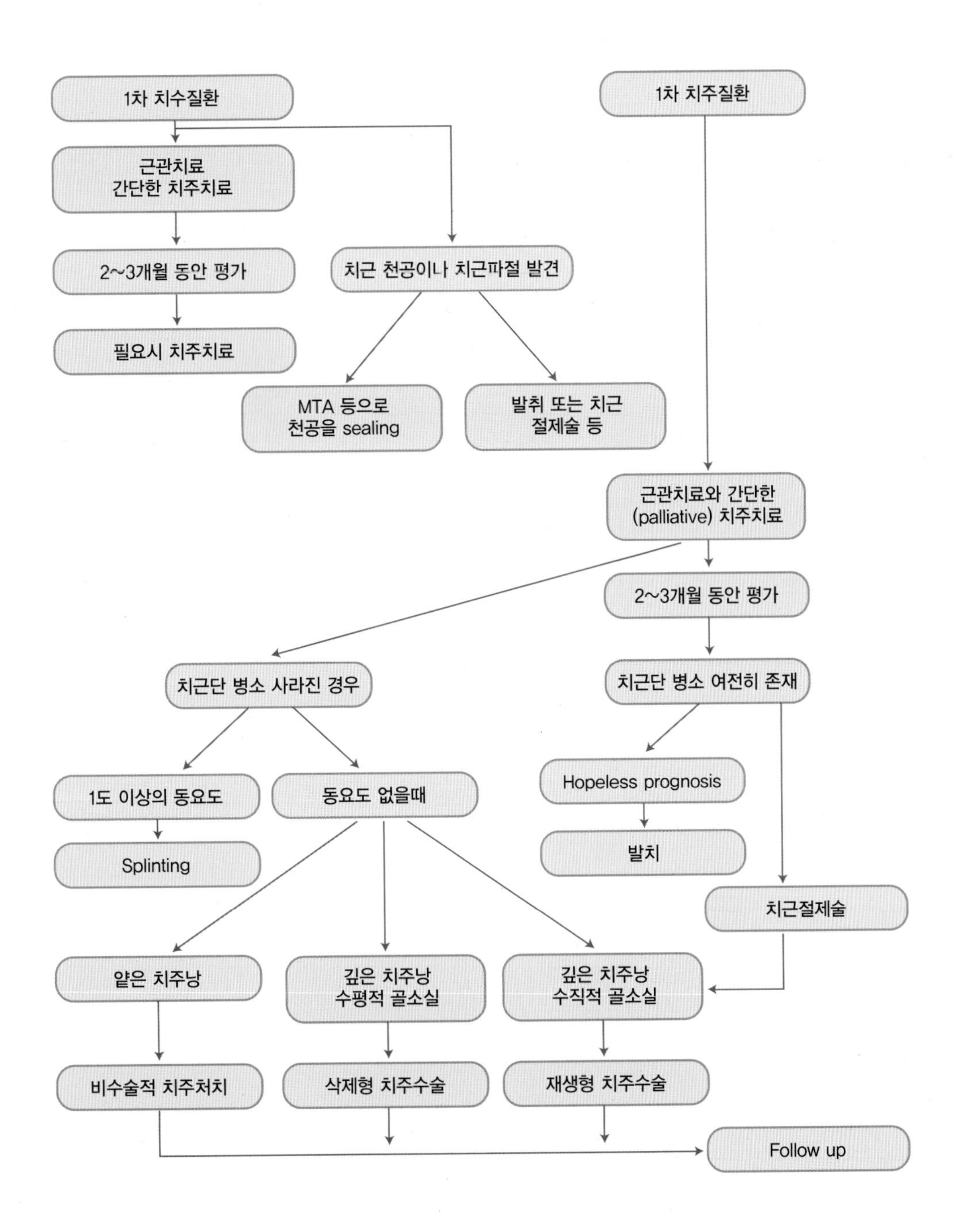
1차 치수질환
근관치료
간단한 치주치료
2~3개월 동안 평가
필요시 치주치료
치근 천공이나 치근파절 발견
MTA 등으로
천공을 sealing
발취 또는 치근
절제술 등
1차 치주질환
근관치료와 간단한
(palliative) 치주치료
2~3개월 동안 평가
치근단 병소 사라진 경우
치근단 병소 여전히 존재
1도 이상의 동요도
Splinting
동요도 없을때
Hopeless prognosis
발치
치근절제술
얕은 치주낭
깊은 치주낭
수평적 골소실
깊은 치주낭
수직적 골소실
비수술적 치주처치
삭제형 치주수술
재생형 치주수술
Follow up

5) 무치악 부위 해결을 위한 치료 계획

(1) 무치악 부위의 길이와 지대치의 상태, 대합치의 상태, 환자의 저작능력, 환자의 나이 및 전신상태 등을 고려해서 고정성 보철물이나 가철성 보철물을 선택할 수 있다.

(2) 상실 치아를 대체할 임플란트를 이용한 보철치료를 고려할 수 있다.

6) 임플란트를 이용한 치료계획 수립

(1) 임플란트 지지 고정성 보철물을 고려할 경우 pontic 길이가 너무 길어지지 않도록 주의한다. 소구치 2개 이상의 크기가 넘어가지 않도록 주의한다.

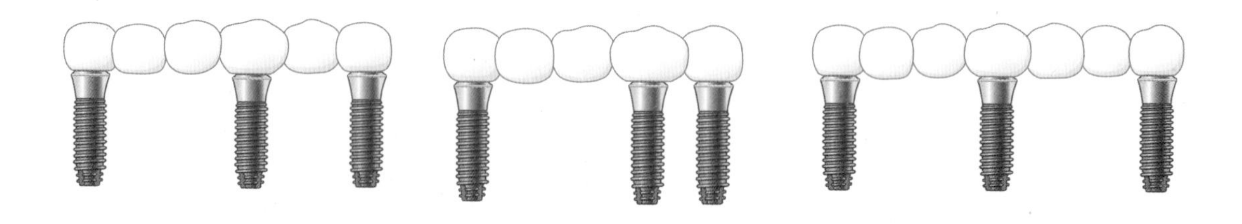

(2) 치아 상실 부위에 임플란트를 식립할 수 없는 경우 cantilever design을 고려 할 수 있다(cantilever 길이는 소구치 하나정도의 크기를 넘지 않는다).

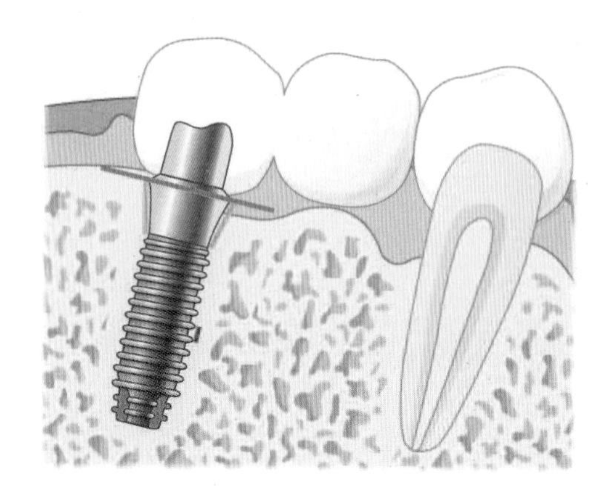

(3) 임플란트를 이용한 전치부 수복을 할 경우 상실된 치아 갯수만큼 임플란트를 식립하는 것보다 적은 수의 임플란트를 식립 후 pontic으로 처리하는 것이 유리하다.

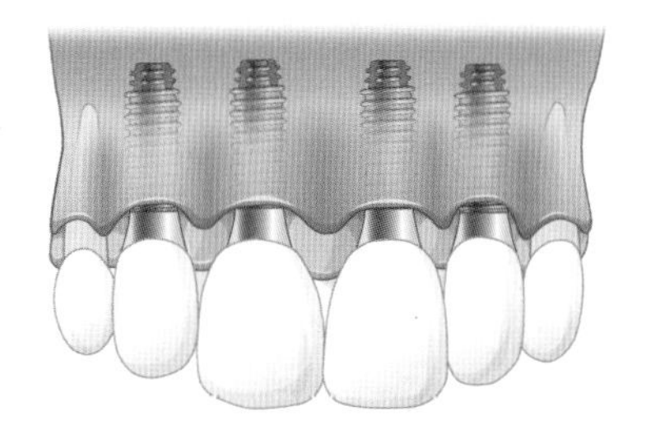
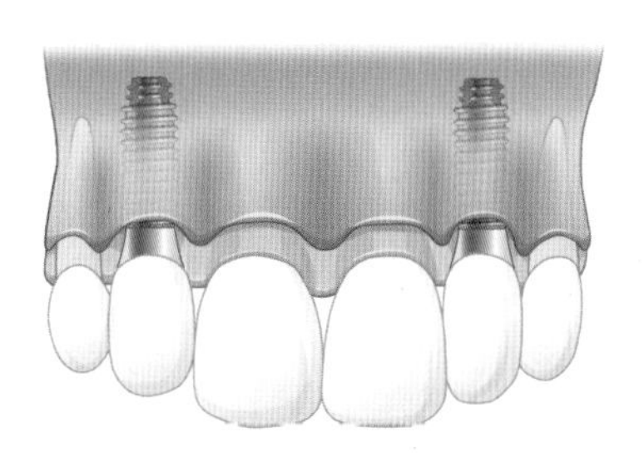

(4) 상실된 치아의 개수보다 적게 임플란트를 식립해야 할 경우 임플란트 식립을 정하는 원칙은 다음과 같다.

- 최후방 치아에 먼저 임플란트 식립을 고려해야 한다.
- 가능하다면 cantilever design을 하지 않는다.
- cantilever design을 고려하더라도 canine부위는 cantilever로 처리하지 않는다.
- 최대 pontic의 길이는 소구치 두 개 정도의 길이로 한다.

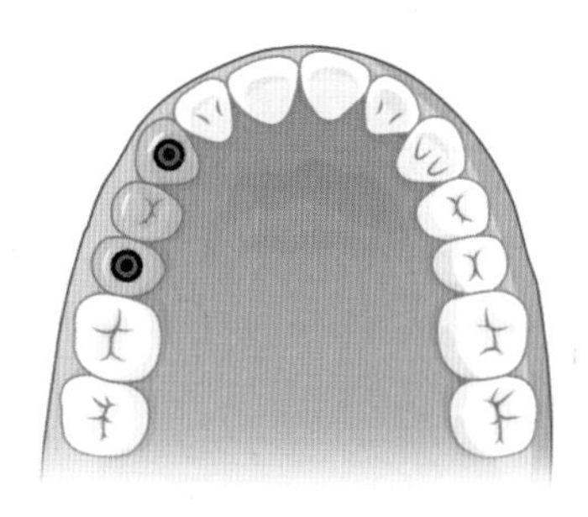
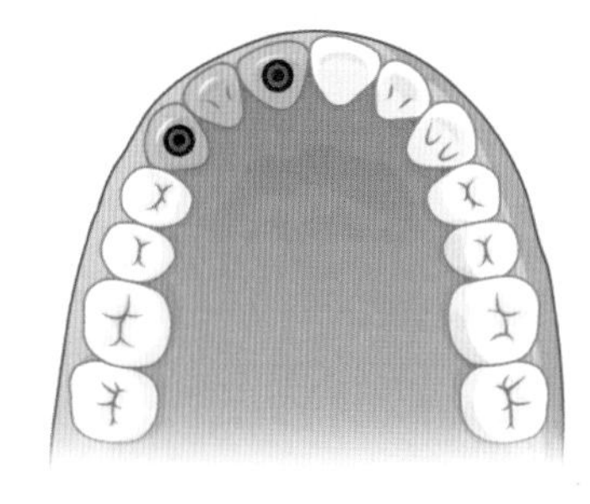
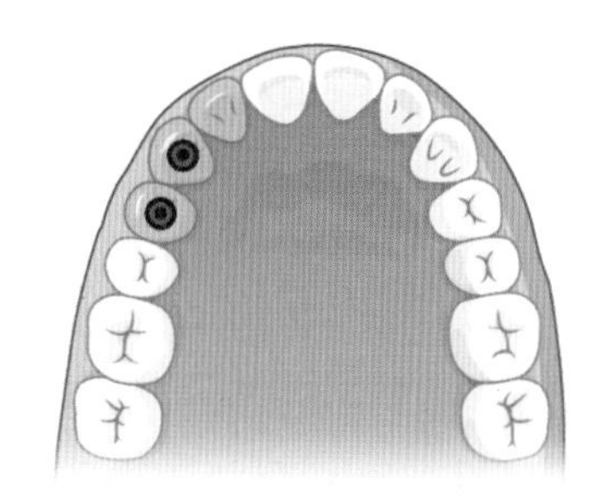
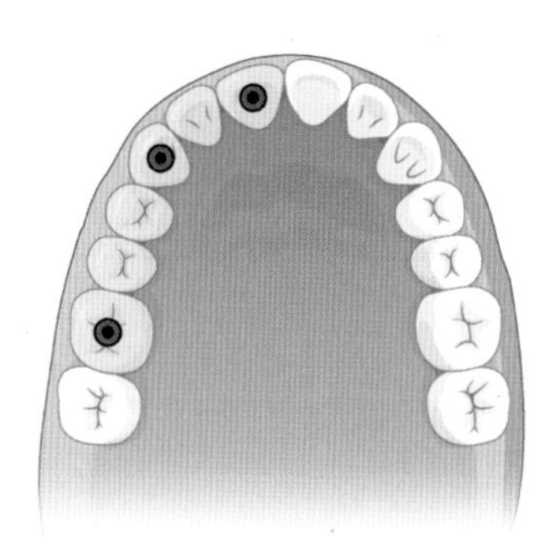
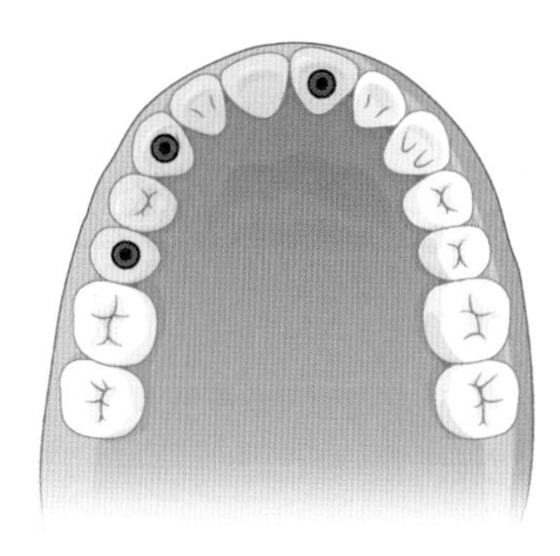
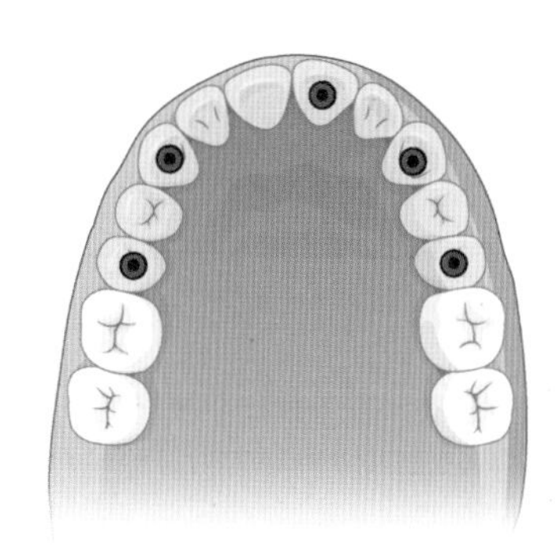

(5) 최소 필요한 수복물의 수직적 높이

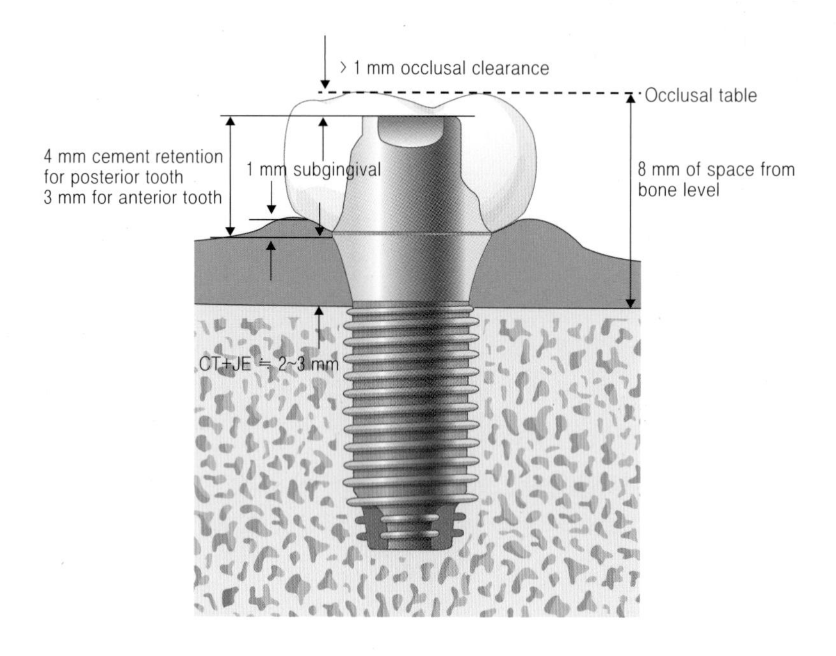

7) 유지기 치료단계에서 점검해야 할 점

(1) 치태 및 치석

(2) 치은상태(치주낭, 염증)

(3) 교합, 치아 동요도

(4) 기타 병리적 변화

Chapter 06

전신질환자의 협진의뢰 및 치료

Consultation and treatment of medically compromised patients

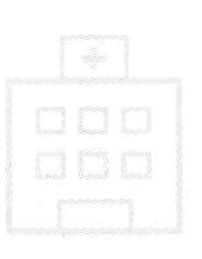

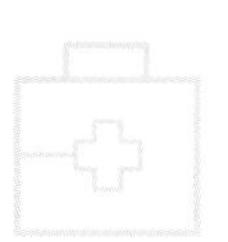
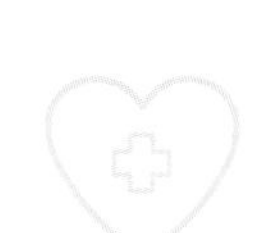

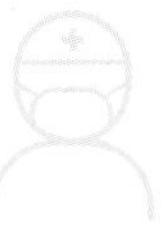

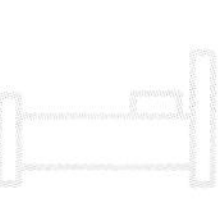

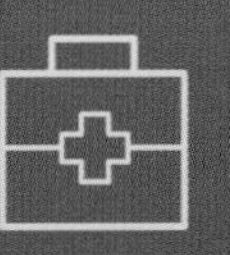

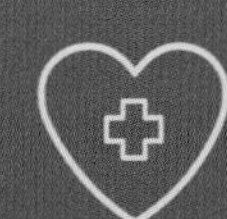

실습목표

- 환자의 전신적 상태를 파악하고, 치과진료 시 이를 고려한 포괄적 치료 계획 수립이 가능한가?
- 치과진료 시 의과 전문의와의 협진이 필요한 경우를 판단하고, 정확한 협진의뢰서를 작성할 수 있는가?
- 전문적 치과진료가 필요한 경우 상위 의료기관의 치과전문의에게 협진의뢰서를 작성할 수 있는가?
- 환자에게 전신질환이 치과진료에 미치는 영향 및 그로 인해 우려되는 상황에 대해 설명하고 대비할 수 있는가?

핵심평가요소

- 환자의 전신 상태를 고려하여 치과 치료 계획을 수립 및 조정하였는가?
- 환자의 전신 병력 중 의과 주치의와 협진해야할 병력에 대해 적절히 고려하여 의뢰하였는가?
- 치과전문의에게 의뢰 시 환자의 병력에 대해 필요한 정보를 간결하고 명료하게 기술하였는가?
- 치과치료 시 환자의 전신 병력상 벌어질 수 있는 돌발 상황에 대해 고려 및 대처할 수 있는가?

1. 전신질환과 치과치료

환자가 가지고 있는 기저 질환 중 상당수는 치주질환의 발병 혹은 치료와 깊은 연관을 가진다. 이러한 전신질환을 지주질환/치료와의 관계에서 대해 아래와 같이 세 가지의 분류가 가능하디.

- 치주질환의 위험요소로서의 전신질환: 백혈병 등의 혈액질환 혹은 Papillon-Lefevre 신드롬 등의 선천성 질환외에도 당뇨, 흡연, 비만등의 만성 전신상태는 치주질환의 발생 혹은 심도와 관련이 있는 것으로 알려져 있다.

- 전신질환의 위험요소로서의 치주질환: 치주질환과 심혈관질환, 조산의 발생 사이의 유의할 만한 상관성은 이미 많은 연구에서 보고된 바 있으며, 당뇨의 심도에도 영향을 미치는 것으로 알려져 있다.

- 치주치료 시 고려대상으로서의 전신질환: 전신질환으로 인한 선천/후천적인 상태나, 현재 투약중인 혹은 과거 투약했던 약물로 인하여 치과 치료 시 혹은 후에 합병증등이 발생할 수 있다. 심혈관계 합병증, 지혈 관련 문제, 감염 및 알러지성 반응이 이에 속하며, 이를 예방하거나 위험을 줄이기 위한 치과의사의 노력이 필요하다.

본 교재는 상기 나열된 전신질환 중, 치주치료 시 고려대상으로서의 전신질환에 대한 고려사항에 초점이 맞추어 있으며, 이외의 내용은 치주과학교과서 (6판, 치주과학교수협의회 저) 및 Dental management of the medically compromised patient (8판, James Little 등 저)를 참조하기 바란다. 본 교재의 내용 외에도, 상기 질환에 대한 이해는 치주질환의 병인, 치료 및 환자 교육에 필수적이다.

2. 협진 의뢰 Consultation

협진의뢰는 일반적으로 상위 치과병원에 전원을 하거나, 전신질환자의 치과 치료에 대해 의과 주치의와 상의하기 위해 진행된다. 이를 위해 치과 주치의는 협진의뢰서를 작성하여야 한다. 협진의뢰서의 내용은 간단하고 명료해야 한다. 진료 과정에서 정확한 진단을 위해서는 많은 정보가 필요하지만, 의뢰서에는 전원을 하거나 상의하기 위한 핵심 내용만이 이해하기 쉽게 기록되어야 한다.

1) 협진의뢰서의 작성

협진 시 필수적으로 포함되어야 할 내용은 다음과 같다.

(1) 환자명 및 환자 식별 가능 근거

- 서면으로 두 전문 분야의 의사가 의사소통하여 환자에 대한 중대한 결정을 내리게 되므로, 환자에 대한 식별과 확인이 가능하여야 한다. 그래서 협진의뢰서 및 회신서에는 환자명과 식별 가능 근거(주민등록 번호 혹은 외국인의 경우 여권 번호등이 해당됨)가 명시되어 있어야 한다. 페이지가 바뀔 경우 이 정보는 중복 기재되어야 한다.

(2) 의뢰 일자 및 의뢰인/회신인 정보

- 환자의 전신질환 상태는 가변적이므로, 최근의 상태에 대해 의사소통이 되어야 적절한 진료가 가능하다. 그래서 의뢰 일자와 회신 일자가 명확히 기록되어야 한다. 또한 의뢰인이나 회신인의 정보(소속 기관명, 의료인명 등)가 기재되어야 한다.

(3) 의뢰/회신과 관련한 환자 상태의 요약

- 일반적으로 의뢰하는 경우의 환자는 복합적인 전신질환을 가지는 경우가 많거나, 복잡한 치료경과를 가지는 경우가 많다. 의뢰/회신서를 받는 의료인의 이해가 쉽도록 이에 대한 정보가 간략하게 요약되어야 한다. 또한 같은 이유로 일반적으로 통용되는 약어 외에는 약어의 사용을 가급적 피하는 것이 좋으며, 치과에서 사용되는 용어 중 내과의사가 이해하기 어려운 용어(quadrant, ortho, endo, apex 등)는 피해야 한다. 의과 전문의에게 의뢰 시 치과 진료 계획에 대해 제시하는 경우, 계획된 치과시술에 의해 예상되는 스트레스, bacteremia, 출혈 가능성, 술후 치유 기간 등에 대해 기술하여주는 것이 좋다.

(4) 의뢰/회신과 관련한 문제점 및 요구사항

- 고령의 환자의 경우 여러명의 전문의에게 진료를 받고 있을 때가 많다. 이러한 분들의 치과 진료와 관련하여 투약 중인 약의 중단 여부, 치과진료 시의 고려사항 등으로 협진 의뢰를 할 경우 해당 문제점과 요구사항(전문가 소견 혹은 치료)에 대해 명확히 제시해주는 것이 좋다. 예를 들어 조절되지 않는 당뇨를 내분비 내과에서 진료중이며, 심장 스텐트 시술 후 심장내과에서 투약중인 환자의 경우 각각의 주치의에게 개별적인 의뢰서를 작성하며, 해당 문제점과 전문가 소견 등의 요구에 대해 명확히 밝혀주는 것이 좋다.

2) 협진의뢰서 작성 예시

(1) 치과 치료를 위해 의과 주치의에게 전신상태에 대한 자문을 구하는 경우

타병(의)원 전원 협진 의뢰서

1. 환자 인적 사항

등록번호 : 123456　　성명 : 홍 길 동

주민등록번호 : 381221 - 1029322　　전화번호 : 010-1234-1234

주소 :

2. 전원 협진 의뢰 병원

(o) 특정 병(의)원을 지정하지 않음.

(　) 특정 병(의)원을 다음과 같이 지정함.

한국대학 병(의)원 심장내 과 심한국 선생님 귀하

3. 전원 협진 의뢰 사유 :

현재 본환은 귀과에서 처방되어 aspirin 및 clopidogrel을 복용중으로 치과 처치 후 지혈 지연이 우려되어, 상기 복용약물의 중단에 따른 위험성과 지혈 위험성의 경중에 따라 전처치를 시행하고자 합니다. 이에 선생님의 고견을 바라오니 회신부탁드립니다. 감사합니다.

4. 주호소(CC), 검사 소견, 진단명, 치료 내용, 환자 상태 :

상기 환자분은 치주질환으로 본원 치과병원 치주과에 내원하여 만성중증도치주염으로 진단받아, 다수치의 발치, 치주치료 및 임플란트 식립이 필요합니다. 그러나 환자분은 7년전 뇌경색과 3년전 스텐트 시술의 의과적 경력이 있으며, 고혈압과 협심증으로 귀과에서 현재 치료받고 있는 중입니다. 본환에게 필요한 상기 치과치료는 Minor operation에 준하는 시술로서 술후 출혈 및 bacteremia 가능성이 있습니다. 초기 치유기간은 일주일정도 소요될 것으로 기대하며, 동 기간동안 간헐적 출혈 우려가 있습니다.

의뢰일자 : 2016 년 10 월 16 일　　진료과 : 한국대학교 치과대학병원 치주과

주치의사 : 한치주 ChiJooHan　　전화번호 : 02-2228-1234

5. 위와 같이 타병(의)원으로 전원 협진 의뢰함에 대하여 의료진으로부터 충분한 설명을 들었으며, 전원 협진 의뢰 시행에 동의합니다.

(O) 환자 서명 : 홍 길 동

(　) 보호자 대표 : 성명 ________ 환자와의 관계 ________

서명 ________

(2) 전문적 치과 치료를 위해 전문의에게 치료를 의뢰하는 경우

타병(의)원 전원 협진 의뢰서

1. 환자 인적 사항

등록번호 : 123456 **성명 :** 홍 길 동

주민등록번호 : 381221 - 1029322 **전화번호 :** 010-1234-1234

주소 :

2. 전원 협진 의뢰 병원

(o) **특정 병(의)원을 지정하지 않음.**

( ) **특정 병(의)원을 다음과 같이 지정함.**

한국치과대학 **병(의)원** 치주 **과** 이한국 **선생님 귀하**

3. 전원 협진 의뢰 사유 :

하악 좌측 제2대구치의 치주-근관 복합병소와 상악 좌우측 제1대구치의 이개부 병변에 대한 전문적 치주처치가 필요할 것으로 사료되어 귀과로 의뢰하오니 고진선처 부탁드립니다. 감사합니다.

4. 주호소(CC), 검사 소견, 진단명, 치료 내용, 환자 상태 :

상기 환자는 1개월전(2015년 9월 18일) 본원에 양측 어금니가 씹을 때 아프다는 주소로 내원하였으며, 임상 검사 및 방사선사진 검사 결과 전반적 만성 치주염과 하악 좌측 제2대구치의 치주-근관 복합병소로 진단되어 본원에서 2주간에 걸쳐 치석제거술 및 전악에 걸친 치은연하 치근활택술 시행하였으며, 동년 10월 2일부터 일주일간 세번에 걸쳐 하악 좌측 제2대구치 부위 근관 치료 시행하였습니다(10월 2일: 와동형성 및 근관 확대, 10월 6일: 근관형성, 10월 9일: 근관충전). 현재 통증은 감소된 상태이나 상악 좌우측 이개부 병변 및 하악 좌측 제2대구치 원심부에 잔존 치주낭 및 골결손부 관찰되어 귀원 치주과로 의뢰합니다.

의뢰일자 : 2016 **년** 10 **월** 16 **일** **진료과 :** 한치주 치과의원

주치의사 : 한치주 (서명) **전화번호 :** 02-333-1111

5. 위와 같이 타병(의)원으로 전원 협진 의뢰함에 대하여 의료진으로부터 충분한 설명을 들었으며, 전원 협진 의뢰 시행에 동의합니다.

(O) 환자 서명 : 홍 길 동

( ) 보호자 대표 : 성명 ______ 환자와의 관계 ______

서명 ______

3. 치주치료 시 고려대상으로서의 전신질환

1) 심혈관계 질환(Cardiovascular disease)

심장 전문의와 상담, stress를 피하기 위해 오전 중에 약속하고 진료시간은 짧게 한다.

(1) 협심증(Angina pectoris)

- 주증상 : 발작성 흉통, 심장 허혈
- 불안정한 협심증인 경우 응급일 경우만 치료
  안정한 협심증인 경우 선택적 치과진료 가능
  시술 5분 전에 설하로 Nitroglycerine 투여(1/200 gram)
- 치과치료 중 갑작스런 이상이 오면 다음과 같은 응급치료 시행
  ① 치주치료 중단
  ② 설하로 Nitroglycerine 0.3~0.6 mg 투여
  ③ 환자를 안심시키며 의복을 느슨하게
  ④ Reclined position 하에서 산소 공급
  ⑤ 3분 이내에 증상이 소실된 경우 : 가능한 빠른 시간 내에 치료 끝냄.
  ⑥ 3분 이내에 증상이 소실되지 않을 경우
    a. Nitroglycerine을 더 투여
    b. 환자의 생징후(vital sign) 관찰
    c. 응급실로 후송

(2) 뇌혈관 사고(뇌졸중, Cardiovascular accident ; CVA)

- CVA stroke history 가진 환자의 경우
  ① 6개월 이내 : 응급치료 만 시행
  ② 6개월 이후 : 치료는 60분 이내 시행
  ③ 전신마취와 과도한 안정제 사용 금지
  ④ 국소마취 : 흡인 후 천천히 주입(1:100,000 epinephrine)
  ⑤ 치은연하 치석제거술 또는 치주수술 전에 PT(Prothrombin time) 확인
  ⑥ 복용 중인 항응고제 약물의 중단은 위험하므로 내과의사와 긴밀한 상의가 필요하며, 약물의 중단은 신중히 결정해야 함(박스글 참조)

(3) 고혈압(Hypertension): 140/90 mmHg 이상

- 수축기 혈압이 180 mmHg 이상이거나 이완기 혈압이 110 mmHg 이상인 심한 고혈압 환자의 치료는 혈

압이 조절될 때까지 연기

- 국소마취제의 사용: 비선택적 베타차단제를 복용중인 환자에서 1: 100,000 에피네프린이 함유된 앰플은 2개 이하로 사용을 금한다.
- 치료와 관련된 stress와 불안은 혈압 상승을 유발
  ① 항고혈압제로 치료받는 환자는 자세성 저혈압이 초래될 수 있으며, 진정제를 함께 투여 시 저혈압이 초래된다.
  ② 혈관수축제의 과용은 혈압 상승 유발

(4) 인공 심박 조율기(Cardiac Pacemaker)

초음파 기구와 전기수술 기구를 사용하지 않아야 하고, 내원 2~3일 전에 항응고제 투약을 중단하여 PT를 정상으로 회복시키며 premedication을 한다.

(5) 세균성 심내막염(Bacterial endocarditis)

예방적 항생제에 대한 이해 필요(박스글 참조)

세균성 심내막염에 대한 고위험군으로서 예방적 항생제 처방의 권장(미국심장학회, 2007)

- 인공심장판막
- 감염성 심내막염 병력
- 선천성 심장질환
  - 복구되지 않은 청색증 선천성 심장질환, 대증적 션트 및 통로를 가진 환자 포함
  - 인공물질 또는 기구를 이용한 수술 또는 카테터 시술을 통해 완전히 복구된 선천성 심장질환의 경우 시술 후 초기 6개월 간
  - 내피화를 제한하는 인공패치 또는 인공기구 부위 혹은 그 인접 부위의 잔존 결손이 있는 복구된 선천성 심장질환
- 심장판막병증이 발생한 심장이식수여자

예방적 항생제 용법

상황	제제	성인	소아
경구 투여	아목시실린	2 g	50 mg/kg
경구 투여 불가능	암피실린 또는 세파졸린 또는 세프트리악손	2 g IM 또는 IV 1 g IM 또는 IV	50 mg IM 또는 IV 50 mg IM 또는 IV
페니실린 또는 암피실린에 대한 알러지(경구)	세파렉신 또는 클린다마이신 아지스로마이신 또는 클래리스로마이신	2g 600 mg 500 mg	50 mg/kg 20 mg/kg 15 mg/kg
페니실린 또는 암피실린에 대한 알러지(경구투여가 불가능)	세파졸린 또는 세프트리악손 인산클린다마이신	1 g IM 또는 IV	

- 이미 페니실리이나 아목시실린을 복용 중인 환자: 연쇄상구균에 저항성이 있을 수 있어, 클린다마이신이나 아지스로마이신, 또는 클래리스로마이신을 선택해야 함.

• 세균성 심내막염 예방 이외의 예방적 항생제 사용: 사용의 효율성에 대한 과학적 근거가 부족하나, 현재까지 일반적으로 예방적 항생제 사용이 권고되었으며, 이는 아래와 같은 경우임.
- 장기이식
- 뇌척수액 션트
- 면역억제제(스테로이드, 화학요법 등)
- 자가면역질환(전신홍반루프스 등)
- 인슐린의존성 당뇨
- HIV 감염/AIDS
- 비장절제
- 심한 중성구감소증
- 겸상적혈구빈혈
- 유방삽입물
- 음경삽입물

예방적 항생제에 관한 권고사항의 변화

미국심장학회는 지난 세기동안 세균성 심내막염의 예방을 위해 치과진료 전에 예방적 항생제를 권고하였다. 약 10번의 권고사항 개정 동안 항생제의 종류 및 시기 등에 대한 조정이 있었으나, 가장 최근인 2007년에도 이전의 권고사항을 뒤집는 개정이 있었다(Journal of American Dental Association 2008; 139(1):3S–24S; *QR코드스캔*). 이전의 예방적 항생제의 권고는 과학적 근거를 기반으로 한 것은 아니었으며, 최근 이에 대한 회의적 결과들에 대해 이미 많은 보고들이 있었다.

2007년 미국 심장학회의 개정은 다음의 사실에 기반하고 있다.
– 치과치료에 의한 일시적 세균혈증보다 일상적 활동에 의한 세균혈증에 의해 더 빈번히 세균성 심내막 염이 일어날 가능성이 훨씬 높다.
– 예방적 항생제는 치과치료 환자중 극소수의 증례를 예방할 뿐이다.
– 예방적 항생제로 인한 부작용은 이러한 이득을 훨씬 초과한다.
– 최상의 구강건강 상태를 유지하는 것이 균혈증 발생을 최소화하며, 이것이 예방적 항생제보다 훨씬 중요하다.

즉, 예방적 항생제의 남용으로 인한 부작용이 불명확한 유효성에 비해 크기 때문에 예방적 항생제에 대한 소극적 자세를 취한 것이다. 그러나 2000년부터 2013년까지 시행된 영국의 연구는 이에 반하는 결과를 보고하였다(Lancet 2015; 385(9974):1219–1228). 상기와 같은 이유로, 2008년 영국 국립보건임상연구원은 예방적 항생제를 중단하도록 권고하였는데, 이후 치과치료전 예방적 항생제 사용이 현저히 줄었으며 반면 세균성 심내막염이 증가하였다는 결과였다. 이 결과를 직접적 연관성으로 해석하기는 어렵더라도, 심내막염은 심각한 결과를 초래하므로, 미국 심장학회가 권고하듯 고위험성 환자에서는 시행되는 것이 좋을 것으로 판단된다.

미국 심장학회가 개정한 권고안의 특이점은 예방적 항생제의 필요 대상자는 현저히 줄어 대부분의 환자에서 사용하지 않도록 권고한 것이지만, 반면 위험군의 경우 이전 권고안은 침습적 치료 이전에만 투약하도록 권고했다면 2007년 권고안은 교정장치 장착이나 방사선 촬영을 제외한 모든 치과치료 시 투약하도록 권고한다.

2) 신질환(Renal disease)

(1) 말기 신질환

- 주치의의 자문 필요
- 혈액질환에 대한 선별검사 필요(혈소판수, 프로트롬빈 시간, 부분 프로트롬빈 시간, 적혈구 용적율, 혈색소)
- 치료 전후 혈압 확인 필요
- 감염의 위험을 최소화하기 위한 수술방법을 최우선으로 고려해야 함.

(2) 혈액투석을 받는 환자

- 주치의 자문 필요
- 투석후 최소 4시간 이상 연기 필요. 투석 다음날 시행하는 것이 좋음(특히 7일 중 격일 스케쥴이므로, 다음날 투석을 시행하지 않는 날이 가장 이상적임. 월, 수, 금 투석 스케쥴인 경우 토요일 시행해야 함).
- 신장 대사 약물을 피해야 함.

(3) 간질환(Liver disease)

(1) 간염(Hepatitis)

급성 간염

- 활성화 되어 있는 경우
- 응급인 경우만 치료
- 내과의와 상담, PT, BT 검사, 무균적 처치
- Aerosol 형성 최소화 : cavitron, air syringe, highspeed handpiece 사용금지
- 과거 병력이 있는 경우
- 급성기에는 응급치료만 시행하며, B형 간염의 경우 내과의와 상담 후 HBsAg, HBsAb 검사

간경화

- 만성활동성 간염, 알코올 중독, 영양결핍에 의해 유발
- 혈중 SGOT, LDH 등 간효소수치 상승, 혈액응고인자 VII, IX, X의 생성 감소로 응고지연
- 간에서 대사되는 약물 투여로 인한 간손상이 야기될 수 있다.
- 주의해야 할 약물
  - 국소마취제 : lidocaine, mepivacaine 등
  - 항생제 : ampicillin, tetracycline, erythromycin 등
  - 진통제 : aspirin, acetaminophen, codeine 등

- 진정제 : diazepam, barbiturates 등

4) 폐질환

- 호흡저하나 stress 유발을 피한다.
- 기도폐쇄 가능성 배제
  - 지나친 치주포대나 rubber dam 금지
  - 호흡곤란 유발하는 약물 금지(meperidine, morphine)
  - 양측성 하악 전달 마취는 피함.
- 초음파 기구나 절삭기구 사용 시 주의
- Semi-recline position을 취함.

5) 내분비계 장애(Endocrine disorders)

(1) 당뇨병(Diabetes mellitus)

- 당화혈색소에 대한 모니터링 필요
- 인슐린 반응을 예방
  - 치과내원 전 정상적 식사
  - 아침이나 오전중 예약
  - 인슐린 반응 시 즉시 치과의사에게 알리도록 교육

(2) 갑상선 이상

- 갑상선 기능항진증 환자- 갑상선 중독증이 의과적으로 조절되지 않으면 모든 치과치료는 연기. 의과적으로 조절되지 않는 경우 에피네프린과 기타 아민계 승압제는 피한다.
- 갑상선 기능저하증 환자 - 내성이 결여되어 있으므로 진정제, 마약성진통제 투여 시 주의

(3) 부신 기능부전

- 일반적으로 steroid 치료를 받는 환자에서 쉽게 발견
- stress에 약하므로 전문의에 문의
- 치주수술의 경우 술 전에 하이드로코티손 25 mg/day를 투여함

6) 임신

- 조산위험 가능성을 줄이기 위해 임신기 동안 치면세마등을 포함하여 적절한 구강위생을 유지하도록 해야 함.

- 임신 1기-치료에 가장 불안정한 기간. 가능한 구강청결지도
  약제 투여, 방사선 촬영 등은 피하며 최소한의 응급처치만을 시행
- 임신 2기-통상의 치료 가능하나 장시간을 요하는 치료는 출산 뒤로 연기
- 임신 3기-자세성 저혈압 위험. 가능한 진료시간 짧게 하고 자세를 자주 변화시킴

7) 출혈성 장애(Hemorrhagic disorders)

(1) 응고장애(Coagulation disorder)

- 일반 치료범위는 정상의 1.5~2배 이상의 prothrombin time이다(정상 PT: 10~14초).
- Coumadine, Aspirin, Heparin, Liver disease, Genetic hemophilia

후천성 출혈 및 응고항진 장애

심근경색이나 stroke등의 과거력이 있거나 위험성이 있는 환자는 Coumadine, Aspirin, Clopidogrel 등의 약물을 매일 복용한다. 이런 약물은 혈관내혈전형성을 저해하여 상기 질환을 예방하려 하는 목적이나, 같은 기전으로 인해 외상이나, 발치/치주치료 등의 관혈적 시술후 지혈이 되지 않는 문제가 발생할 가능성이 있다. 이런 관점에서 치과의사는 복용중인 약물을 중단 혹은 줄인 후 치과 시술을 진행해야 한다고 판단할 수도 있다. 실제로 이에 대한 많은 논란이 있었으나, 최근의 메타분석에 의한 systematic review에서 단일치 혹은 다수치 발거 시 상기 약물을 유지하는 것과 중단/변경한 경우를 비교하였다(Journal of Canadian Dental Association 2009; 75(1):41; *QR코드스캔*). 이 연구 결과에서, 약물을 유지한 채 단일치 혹은 다수치를 발거하더라도 지혈 문제가 일어날 가능성은 대조군과 차이가 없다. 그러므로 복용에 의한 지혈 지연 위험성과 복용 중단에 의한 혈관내혈전형성의 위험성을 신중하게 고려하여 결정해야 한다. 실제로 미국 신경의학회는 치과치료 시 상기 약물은 계속 복용하도록 권장하고 있다(Neurology 2013; 80(22):2065-2069). 미국 치과의사협회에서는 발치 및 치주치료 시 상기 약물의 복용을 중단하는 근거는 부족하나, 심근경색이나 stroke등의 위험성과 지혈 위험성을 함께 고려하기 위해 내과의사의 자문을 구하도록 권유하고 있다.

심장 주위 혈관 내에 stent를 삽입하는 경우에는, 보통 환자들은 Aspirin과 Clopidogel을 함께 복용한다. 혈관벽에 삽입된 mesh 형태의 stent는 주위 혈전형성이 유일한 합병증이며, 발생할 경우 사망에까지 이를 수 있어 매우 치명적이다. 그러므로 2007년 여러 미국심장학회와 심혈관계 학회, 외과학회, 그리고 미국치과의사학회는 합일된 의견을 제시하였는데, 약물을 중단하기보다는 위험성에 대해 심장내과의사와 상의하여 결정하도록 권유하고 있다(Journal of American Dental Association 2007; 138(5):652-655).

약물 복용을 지속하며 다수치의 발치나 치주치료를 진행하기로 했다면, 출혈적 소인이 될 수 있는 것은 피해야 한다. 만일 급성 감염이 존재하면 급성 감염이 사라질 때까지 시술을 피해야 하며, 외상을 최소화하는 술식이 필요하다. Coumadin을 복용중인 경우, 치료 당일에 INR을 검사하여 3.5 이하인 경우는 약물을 지속하며 구강내소수술을 시행할 수 있다.

(2) 혈소판 감소성 자반증(Thrombocytopenic purpura)

- 혈소판 수치가 60,000~80,000 cell/mm^{2}로 감소된 경우 치은 자극에 의해 출혈 가능
- 혈소판 수치가 최소 80,000 cell/mm^{2}가 되지 않는다면 어떤 외과적 시술도 할 수 없으며 수술 전에 혈소판 수혈이 필요
- 30,000 cell/mm^2 정도의 낮은 혈소판 수를 가진 환자에게는 조심스러운 치석제거술과 치근활택술 시행 가능

8) 혈액장애(Blood dyscrasias)

(1) 백혈병(Leukemia)

- 치료 전 내과의와 상담
- 치료 전 항생제 사용
- 급성시 응급인 경우만 치주치료 시행

(2) 무과립 세포증(Agranulocytosis)

감염에 매우 민감하여 염증에 대한 치주조직의 반응이 악화

9) 방사선 치료

(1) 방사선 치료 시작 전

- 치료 불가능한 치아나, 예후가 불확실한 치아는 발거
- 잠재적 문제는 모두 치료하거나, 불가능한 경우 발치
- 광범위한 우식을 제거하고, 보철 전 수술을 마침.
- 치유에 충분한 시간을 가지고 수술을 진행하거나, 그러지 못할 경우 고압산소 치료를 고려
- 철저한 구강위생 관리 필요
- 트레이를 이용하여 매일 불소도포

약물관련악골괴사(MRONJ: Medication-related osteonecrosis of the jaw

골다공증 및 암환자중에서 Bisphosphonate를 투약하는 환자의 발치 등의 소수술후 악골괴사(BRONJ: Bisphosphonate-related osteonecrosis of the jaw)가 일어날 가능성이 있다. 그러나 이외에도 최근에 개발된 타약물에서도 비슷한 합병증이 초래되기 때문에 아래 기술된 관련 약물에 대해 숙지해야 한다.

Antiresorptive medication
- Bisphosphonate
  - Zolendronate
  - Ibandronate
  - Alendronate
  - Risedronate
- RANKL inhibitor
  - Denosumab

2014년 미국구강악안면외과학회의 권고사항은 아래와 같다(Journal of Oral and Maxillofacial Surgery 2014;72(10):1938-1956; *QR코드스캔*).
그러나 관련약물 복용자의 권고사항 및 검사방법등에 대해 논란은 여전하며, 협진을 통해 내과의등의 타분야 전문의와의 긴밀한 협조가 필요하다.

상기 약물을 4년 이하로 복용한 경우:
- 구강내소수술의 시기를 연기할 필요 없음.
- 임플란트를 식립할 경우는, '약물 복용을 지속시 장기간 관찰 시 임플란트의 실패가 증가하며 골괴사가 낮은 비율이지만 일어날 확률이 있다는 동의서를 받을 것.

상기 약물과 함께 Corticosteroid나 Antiangiogenic medication을 동반하여 4년 이하로 복용한 경우:
- '전신상태 고려 시 가능하다면', 구강내소수술 2개월 전부터 술후 3개월까지 복용을 중단하도록 주치의와 협진

상기 약물을 4년 이상 복용한 경우:
- '전신상태 고려시 가능하다면', 구강내소수술 2개월 전부터 복용을 중단하도록 주치의와 협진
- 골치유가 완료될 때까지 복용을 재개하지 않음.

실 습

Periodontology

실습 내용

다음 환자에 대해 의과주치의에게 협진의뢰서를 작성하시오.

- 52세 남환 (성명: 이다민/주민번호:640803-1989823)이 '우측 잇몸이 아프다'는 주소로 내원하였다. 임상 검사 및 방사선 사진 검사 결과 다수치의 발거와 전악에 걸친 치은연하소파술 및 외과적 치관연장술, 근관치료, 보철치료등이 필요한 상태였다. 현재 복용중인 약물은 아래와 같았으며, 3년전 뇌경색 병력이 있었다. (현재 한국대학교 심장내과에서 통원치료 및 약물 처방 받고 있음.)

- 복용중인 약물: Anorex, Adalat, Coumadin, Lipitor, Zantac

타병(의)원 전원 협진 의뢰서

1. 환자 인적 사항

등록번호 : 성명 :

주민등록번호 : – 전화번호 :

주소 :

2. 전원 협진 의뢰 병원

( ) 특정 병(의)원을 지정하지 않음.

( ) 특정 병(의)원을 다음과 같이 지정함.

________________병(의)원 ________________과 ________________선생님 귀하

3. 전원 협진 의뢰 사유 :
4. 주호소(CC), 검사 소견, 진단명, 치료 내용, 환자 상태 :
의뢰일자 : 201 년 월 일 진료과 : 주치의사 : (서명) 전화번호 :

5. 위와 같이 타병(의)원으로 전원 협진 의뢰함에 대하여 의료진으로부터 충분한 설명을 들었으며, 전원 협진 의뢰 시행에 동의합니다.

( ) 환자 서명 : ________________

( ) 보호자 대표 : 성명 ________________ 환자와의 관계 ________________

서명 ________________

타병(의)원 전원 협진 의뢰서

1. 환자 인적 사항

등록번호 : 성명 :

주민등록번호 : – 전화번호 :

주소 :

2. 전원 협진 의뢰 병원

( ) 특정 병(의)원을 지정하지 않음.

( ) 특정 병(의)원을 다음과 같이 지정함.

____________________ 병(의)원 ____________________ 과 ____________________ 선생님 귀하

3. 전원 협진 의뢰 사유 :		
4. 주호소(CC), 검사 소견, 진단명, 치료 내용, 환자 상태 :		
의뢰일자 : 201 년 월 일		진료과 :
주치의사 :	(서명)	전화번호 :

5. 위와 같이 타병(의)원으로 전원 협진 의뢰함에 대하여 의료진으로부터 충분한 설명을 들었으며, 전원 협진 의뢰 시행에 동의합니다.

( ) 환자 서명 : ____________________

( ) 보호자 대표 : 성명 ____________________ 환자와의 관계 ____________________

서명 ____________________

타병(의)원 전원 협진 의뢰서

1. 환자 인적 사항

등록번호 : 성명 :

주민등록번호 : – 전화번호 :

주소 :

2. 전원 협진 의뢰 병원

( ) 특정 병(의)원을 지정하지 않음.

( ) 특정 병(의)원을 다음과 같이 지정함.

____________________병(의)원 ____________________과 ____________________선생님 귀하

3. 전원 협진 의뢰 사유 :
4. 주호소(CC), 검사 소견, 진단명, 치료 내용, 환자 상태 :
의뢰일자 : 201 년 월 일 진료과 : 주치의사 : (서명) 전화번호 :

5. 위와 같이 타병(의)원으로 전원 협진 의뢰함에 대하여 의료진으로부터 충분한 설명을 들었으며, 전원 협진 의뢰 시행에 동의합니다.

( ) 환자 서명 : ________________________________

( ) 보호자 대표 : 성명 ____________________ 환자와의 관계 ____________________

서명 ________________________________

타병(의)원 전원 협진 의뢰서

1. 환자 인적 사항

등록번호 : 　　　　　　　　　　　　　　성명 :

주민등록번호 : 　　　　　　　　–　　　　전화번호 :

주소 :

2. 전원 협진 의뢰 병원

( ) 특정 병(의)원을 지정하지 않음.

( ) 특정 병(의)원을 다음과 같이 지정함.

________________병(의)원 ________________과 ________________선생님 귀하

3. 전원 협진 의뢰 사유 :
4. 주호소(CC), 검사 소견, 진단명, 치료 내용, 환자 상태 :
의뢰일자 : 201　　년　　월　　일　　　진료과 :
주치의사 : 　　　　(서명)　　　전화번호 :

5. 위와 같이 타병(의)원으로 전원 협진 의뢰함에 대하여 의료진으로부터 충분한 설명을 들었으며, 전원 협진 의뢰 시행에 동의합니다.

( ) 환자 서명 : ________________________________

( ) 보호자 대표 : 성명 ________________ 환자와의 관계 ________________

서명 ________________________________

타병(의)원 전원 협진 의뢰서

1. 환자 인적 사항

등록번호 : 　　　　　　　　　　　　성명 :

주민등록번호 : 　　　　－　　　　　전화번호 :

주소 :

2. 전원 협진 의뢰 병원

( ) 특정 병(의)원을 지정하지 않음.

( ) 특정 병(의)원을 다음과 같이 지정함.

____________________병(의)원 ____________________과 ____________________선생님 귀하

3. 전원 협진 의뢰 사유 :

4. 주호소(CC), 검사 소견, 진단명, 치료 내용, 환자 상태 :

의뢰일자 : 　201　　　년　　　월　　　일　　　　　진료과 :

주치의사 : 　　　　　　　(서명)　　　　　　　　　전화번호 :

5. 위와 같이 타병(의)원으로 전원 협진 의뢰함에 대하여 의료진으로부터 충분한 설명을 들었으며, 전원 협진 의뢰 시행에 동의합니다.

( ) 환자 서명 : ______________________________

( ) 보호자 대표 : 성명 ____________________ 환자와의 관계 ____________________

서명 ______________________________

Chapter 07
구강위생교육
Oral hygiene instruction

 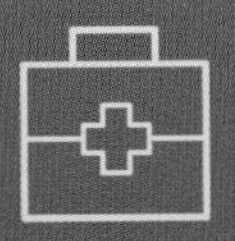    

실습목표

- 환자의 구강상태와 연령을 고려하여, 적절한 잇솔질 방법과 예방법을 교육할 수 있다.
- 적절한 보조구강위생관리용품을 활용하여 교육할 수 있다.

핵심평가요소

- 환자의 조건에 맞는 잇솔질 방법과 도구를 선택하는가?
- 도구 사용방법이 정확한가?
- 교육 시 사용하는 용어의 선택이 적절한가?
- 대상자(피교육자) 중심의 교육을 수행하는가?

1. 치태조절 Plaque control

준비물 : 칫솔, 착색제, 면봉, 손거울, 치간칫솔, 치실

1) 치태조절의 효과(Effectiveness of plaque control)

(1) 치태침착의 예방

(2) 치은염, 치주염의 예방과 치료

(3) 치주치료 후의 구강위생 유지

(4) 치주치료 후의 치유능력을 증진시킨다.

2) 치태조절의 방법(Methods of plaque control)

(1) 물리적(Mechanical) 치태조절

① Manual toothbrush

② Interdental cleansing aids

③ Oral irrigation devices

(2) 화학적(Chemical) 치태조절 – 물리적 치태조절이 힘든 환자에게 사용. 물리적 치태조절의 부가적으로 사용해야 함.

- Chlorhexidine digluconate
  - 가장 효과적이며 많이 연구되었다. 주로 0.1-0.2%의 농도가 사용되고 있다. 미국에서는 0.12%가 사용되고 있으며, 우리나라에서는 0.1%가 사용되고 있다.
- Essential oils
  - Eucalyptol, menthol, methyl salicylate, thymol을 포함하고 있다. 항균효과, 치태 침착방지 효과가 알려져 있다.
- Quaternary ammonium compounds
  - Benzalconium chloride와 cethypyridinium chloride가 가장 많이 연구되었다. Cetylpyridinium chloride는 보통 0.05%의 농도로 구강 살균작용에 사용된다.

3) 칫솔질 방법(Methods of tooth brushing)

(1) Bass methods (Intrasulcular method)

① Multitufted, soft bristle 사용

② 치아 장축이 45도 각도 유지, 짧은 전후진동

③ 대부분의 환자에게 필요함

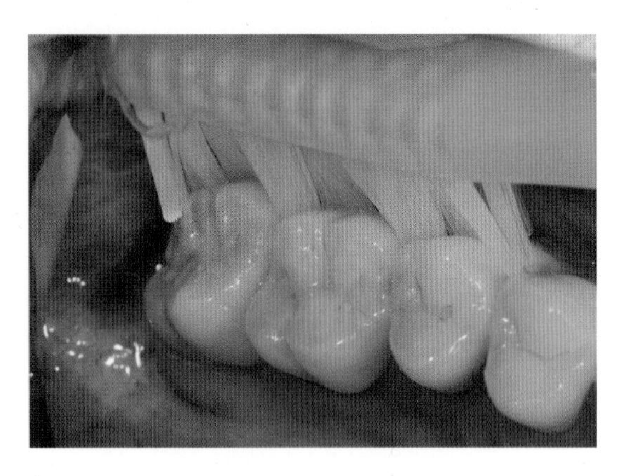

A

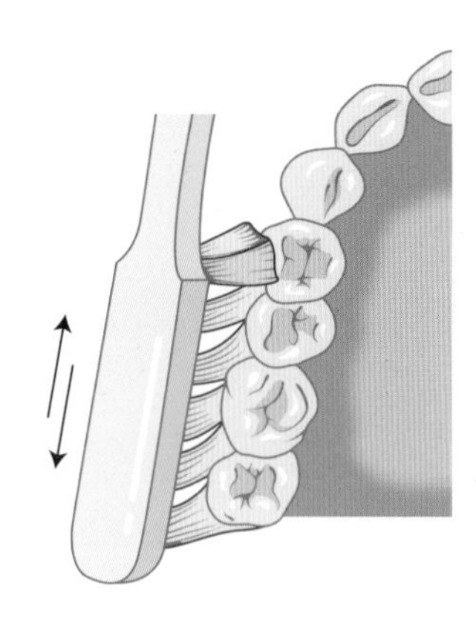

B

(2) Modified Stillman's method

① 2~3줄로 구성된 extra-hard bristle 사용

② 치태제거 효과가 좋고 치은마사지 효과도 우수

③ 진행성 치은퇴축이나 치근노출 부위의 청결에 필요

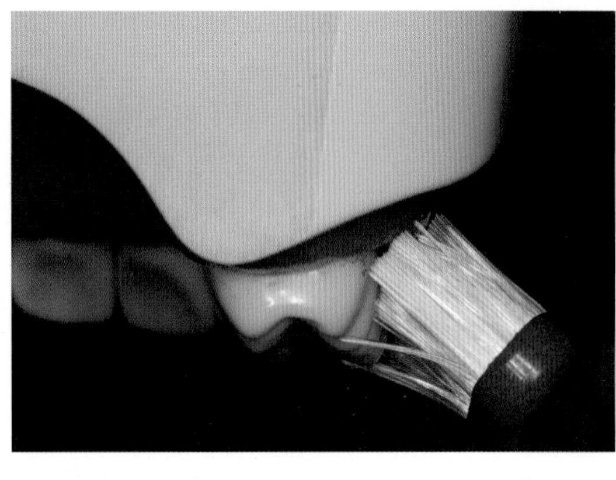

A

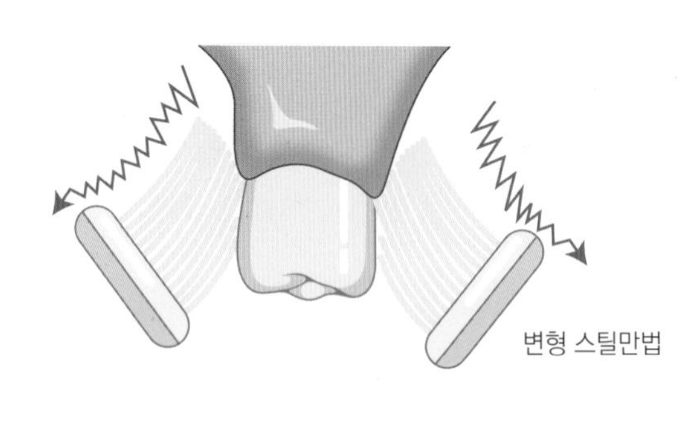

B

(3) Charter's method

① 2~3줄로 구성된 extra-soft bristle 사용

② 치은마사지에 특히 적절

③ 치유되고 있는 gingival wound의 temporary cleansing에 효과적

④ 교정장치를 장착한 환자에게 추천됨

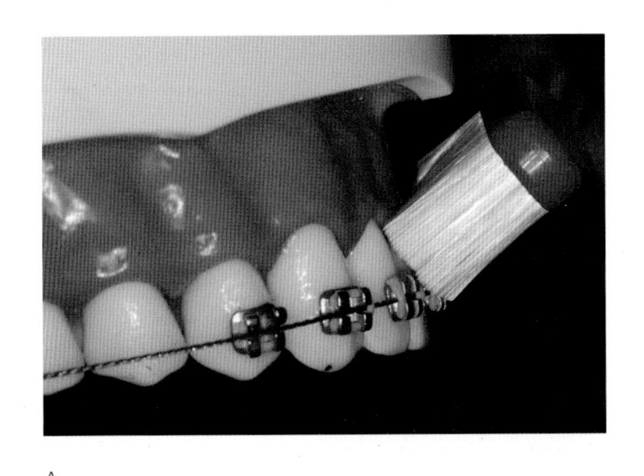

A

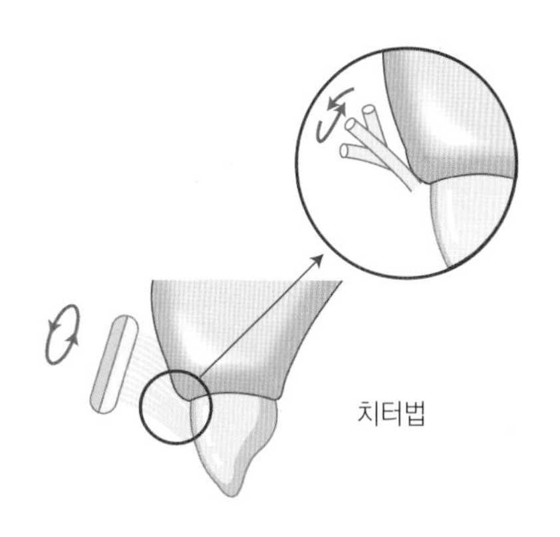

B

(4) 전동칫솔법

① 전력에 의해 작동되는 여러 가지 운동양식의 기계적 동작

② 특별한 기술이 필요치 않음

③ 식모부가 치은변연에서 치아 옆에 위치시킬 것과 전 치열을 닦는 것을 환자에게 교육시켜야 함

4) 치간 청결 기구(Interdental cleansing aids)

(1) Dental floss

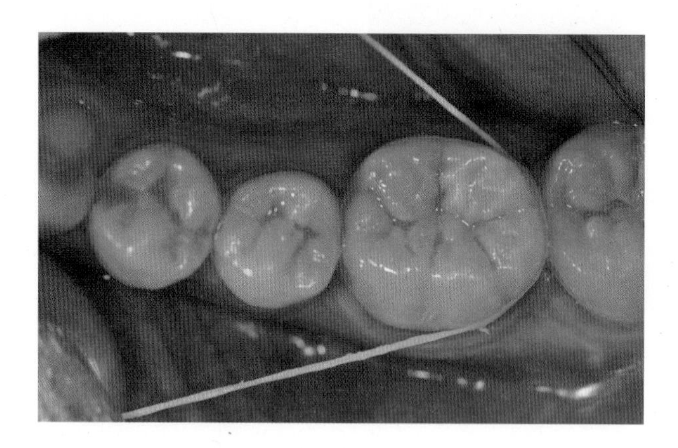

(2) Interdental brushes

① Small interdental brush(proxabrush)

② Unitufted brush

③ Miniature bottle brush

④ 전동 치간칫솔

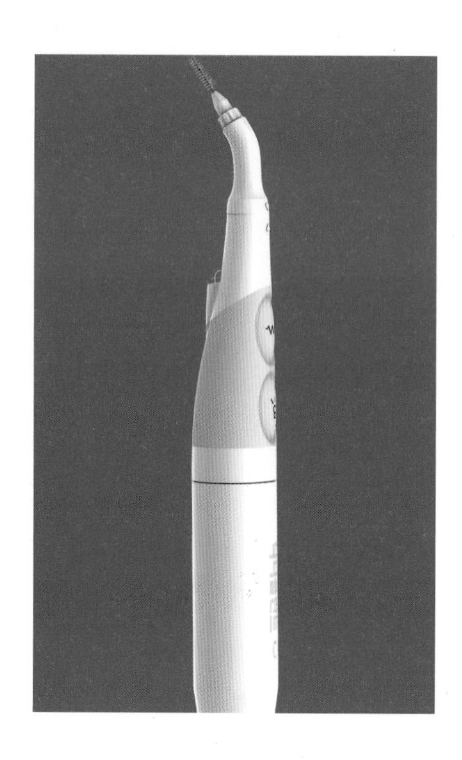

(3) Wooden tip

① Perio-Aid

(4) 고무자극기

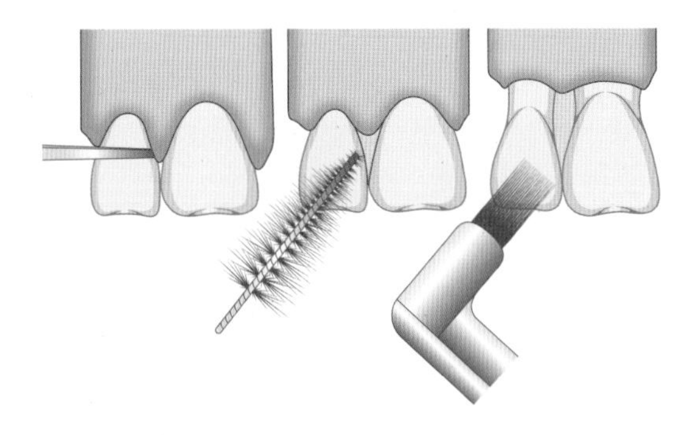

A	B	C
type I embrasure	type II embrasure	type III embrasure
치은퇴축이 없는 경우	중등도 치간유두 퇴축	심한 치은퇴축
dental floss	small interdental brush, wooden tip	Single-tufted brush

5) 구강 세척기(Oral irrigation devices)

(1) 일반적인 구강 양치의 경우 치은열구 내부에는 영향이 적다.

(2) 노즐 끝을 치은열구 내부로 삽입할 경우 효과가 증진된다.

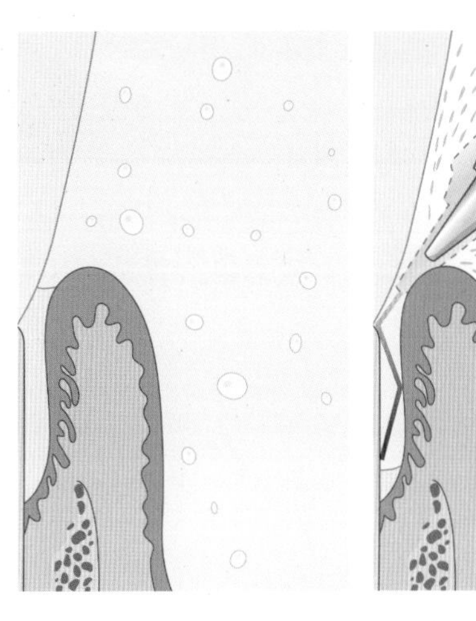

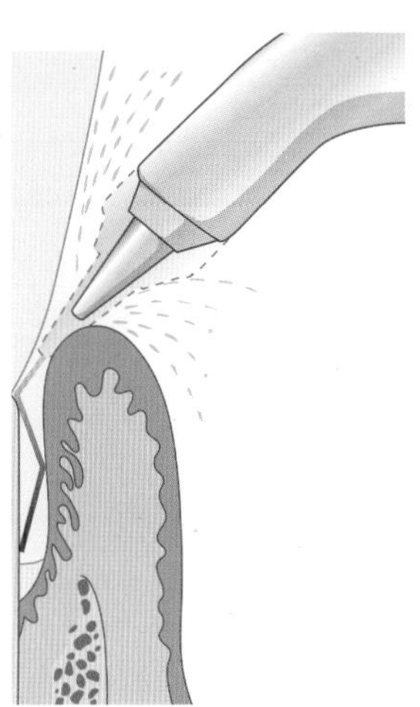

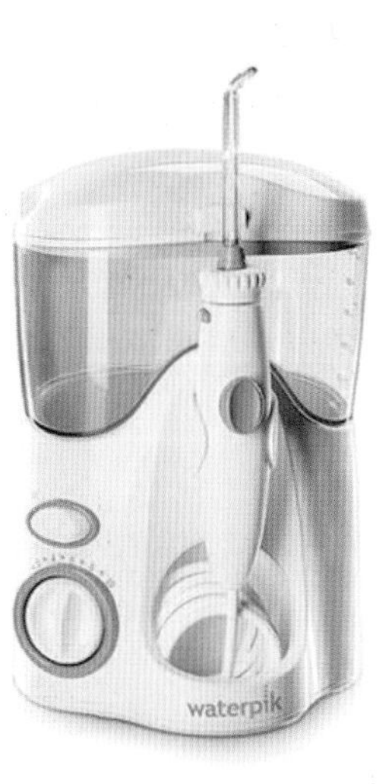

실 습

Periodontology   

 실습 목표

1. 각 칫솔질의 차이점 및 장단점을 숙지한다.
2. 칫솔질의 방법을 알고, 이를 모형을 이용하여 환자에게 설명할 수 있어야 한다.
3. 각 구강위생용품의 이름과 용도, 사용법을 익힌다.

 실습 준비물

덴티폼, 칫솔, 치간칫솔, unitufted brush, 치실

 실습 내용

1. 치실 사용하기
   - 덴티폼에서 치실을 치간에 적용시켜 본다.

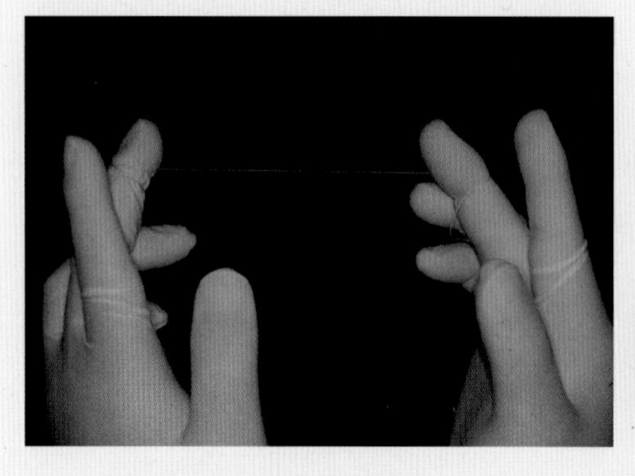
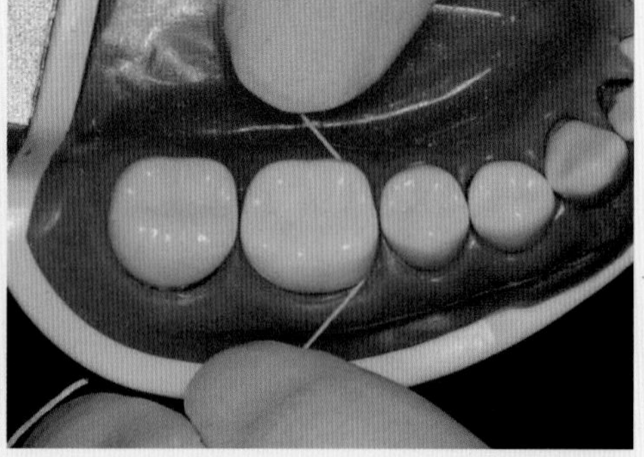

   - 2인 1조가 되어 unit chair에서 환자에게 설명하듯이 치실과 치간칫솔의 사용법을 시범을 보이면서 설명해준다.
2. 치간칫솔을 덴티폼에 적용시켜 본다.
3. Bass method로 모형상에서 칫솔질을 하고 이를 상대방에게 설명한다.
4. Modified Stillman method로 모형상에서 칫솔질을 하고 이를 상대방에게 설명한다.
5. Charter's method로 모형상에서 칫솔질을 하고 이를 상대방에게 설명한다.

Chapter 08

치석제거술 및 치근활택술

Scaling & root planing

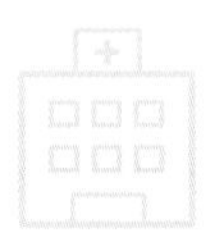

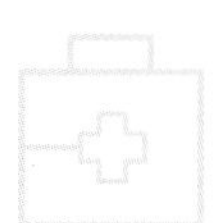

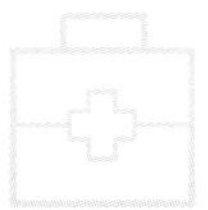

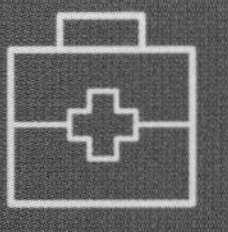
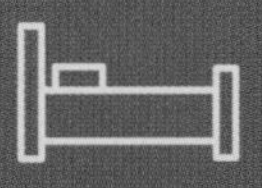

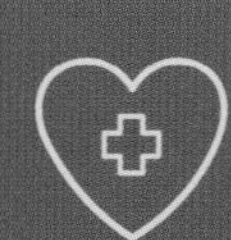

실습목표

- 시술과정 중 무균적 원칙을 적용할 수 있다.
- 부위에 맞는 기구를 선택할 수 있다.
- 기구조작의 기본원칙을 적용할 수 있다.
- 치아부위별 치석제거술 및 치근활택술을 위한 자세를 익힌다.
- 초음파스케일러를 올바르게 적용할 수 있다.
- 국소마취를 위한 기본지식을 익힌다.
- 술식의 필요성과 시술 후 주의사항을 환자에게 설명할 수 있다.

핵심평가요소

- 시술과정 중 무균적 원칙을 적용하는가?
- 적용부위에 알맞은 수기구를 선택하는가?
- 파지를 올바르게 하는가?
- 안정된 손가락 고정을 확보하는가?
- 올바른 작업각도를 이루고 있는가?
- 적절한 치근활택술을 하고 있는가?
- 시술 전 고지사항 및 필요성을 설명하는가?
- 시술 후 주의사항을 설명하는가?

정의

- 치석제거술(scaling) - 치은연상 또는 치은연하의 치태 및 치석과 같은 부착물을 제거하는 술식
- 치근활택술(root planing) - 백악질의 불균일면에 잔존된 치석뿐만 아니라 백악질의 일부까지 제거하여 부드럽고 단단하며 깨끗한 치근면을 만드는 술식

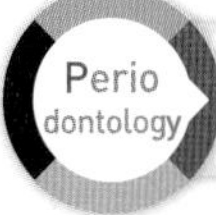

1. 치료의 목적

1) 치주 병인균들을 억제 혹은 제거하여 건강한 상태의 정상 세균총으로 전환
2) 염증성 혹은 화농성 치주낭을 제거하여 건강한 치은 조직 형성
3) 깊은 치주낭을 얕게 하여 건강한 치은 열구 형성
4) 건강한 결합조직 부착과 상피 접합이 이루어질 수 있는 치면 형성

2. 치석제거술과 치근활택술의 적응증

1) 치은염 및 얕은 치주낭
2) 외과적 처치의 전처치
3) 전신질환자(내과 병력 etc.)의 치주치료
4) 심하게 진행된 치주염
5) 유지 관리 처치

3. 치은연상 치석제거술식

(1) 기구 : Sickle scaler, Gracey curette, Ultrasonic instrument

(2) 방법

A. Hand instrument (Sickle scaler, Gracey curette)

① 변형된 펜 잡는 법으로 잡고 작업부위 주위의 치아에서 확고한 손가락 고정 얻음

② 날을 치아 표면에 90도보다 약간 작은 각도를 이루도록 적합
③ 치은연상 치석 아래에 날이 걸리게 하여 짧고 힘차게 기구를 치관 방향으로 움직임
④ 치석제거 후 치면 연마

B. 초음파 치석제거기(Ultrasonic scaling instrument)

적절히 사용하면 초음파 치석제거기도 일반적인 손기구(hand instrument)의 보조기구로 매우 유용하다.

1) 특징

① Heavy하고 딱딱하게 달라붙은 치석과 외인성 착색 제거에 유용하다.
② 조직에 손상을 덜 주며 수술 후 불편감이 줄어든다.
③ 평활하지 못한 치근면을 초래하기 때문에 치은연하에는 사용이 제한된다.
④ 치근 이개부에서 가장 좋은 치석제거 수단이 된다.
⑤ 치근활택술에는 curette이 훨씬 효과적이지만 최근에 새롭게 디자인된 얇은 tip은 치은 연하로의 접근을 보다 좋게 하며, curette과 병용할 경우 치근면을 보다 매끄럽게 할 수 있다.

2) 원리 : vibration, spraying, cavitation effect

3) 장점

① 조직외상이 적다.
② 술 후 동통이 적다.
③ Acute, painful condition의 초기 debridement에 유용하다

4) 단점

① Limited subgingival scaling and root planing
② Working end가 무디고 뭉툭하다.
③ Tactile sensitivity가 감소
④ 계속적인 coolant로 인해 시야가 제한된다.
⑤ Followed hand instrument

5) 비적응증 (contraindication)

① 심장보조기를 하고 있는 환자나, 에어로졸에 의해 전염될 수 있는 질환을 가진 환자에게 사용해서는 안 된다.
② 호흡기 질환이 있는 환자나 면역이 억제되거나 만성 폐질환이 있는 환자들에게도 사용해서는 안 된다.

③ 초음파 치석제거기는 깨지거나 빠질 수 있는 porcelain에 사용해서는 안되며, 복합레진 위에 사용할 경우 검은색 선이 생기므로 조심해야 한다.

6) 사용방법

① 물 분사를 적절히 조절하고, 세기(power)는 치석을 제거할 수 있을 정도 이상으로 강하게 조정해서는 안 된다. 술자와 보조자는 기구 사용 시 형성되는 aerosol의 흡입을 최소로 줄이기 위해 마스크를 착용해야 한다.
② 변형 펜 잡기법으로 기구를 잡고 확고한 손가락 고정을 얻는다. 기구의 손잡이는 치아의 장축과 평행하게 위치시키고 working end는 치아의 외형과 일치하도록 적합시킨다.
③ Foot pedal을 이용하여 기구의 작동을 조절하면서, 짧고 가볍게 수직방향으로 기구를 움직인다. 치석을 제거하는 것은 기구의 전동에너지이므로 강한 측방압은 불필요하다.그러나 치석을 제거하기 위해서는 working end가 치석에 접촉되어야 한다.
④ Working end는 일정한 속도로 움직여야 하고, tip이 치면에 수직으로 접촉하여 치면에 홈이 생기는 경우가 없도록 주의한다(15° 이상 기울이지 않아야 한다)
⑤ Foot pedal은 물을 흡입할 수 있도록 주기적으로 놓아야 하고 치면은 탐침으로 자주 조사해야 한다.
⑥ 초음파 기구 사용 후에 curette과 다른 hand instrument로 마무리한다.

4. 치은연하 치석제거 및 치근활택술식

1) 기구파지법

(1) 펜 잡는 법(pen grasp)
(2) 변형된 펜 잡는 법(modified pen grasp) : 가장 효과적이고 안정된 grasp
(3) 손바닥과 엄지법(palm and thumb grasp) : 기구 날세우기, air-water syringe 조작

2) 손가락 고정 - 기구조작 시 확고한 지지점을 제공함으로써 손과 기구의 안정을 증진시킨다.

(1) Intraoral

① Conventional
② Cross-arch
③ Opposite arch
④ Finger-on-finger

(2) Extraoral

Palm-up, palm down etc.

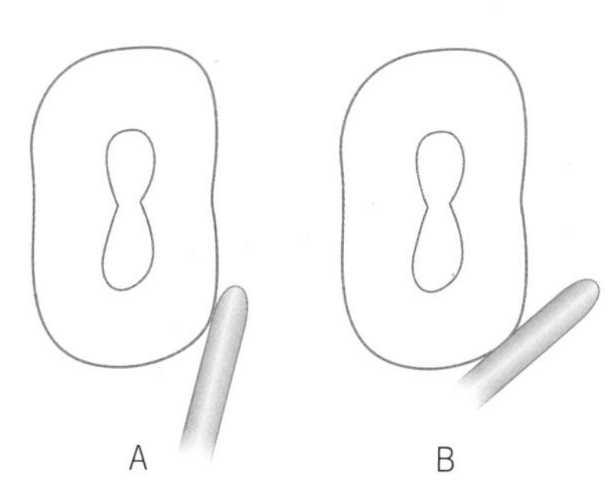

절단연의 적합

A. 날의 하방 1/3이 치근면에 적절히 접촉되어 있다
B. 날의 중간 1/3이 치근면에 접촉하여 연조직 열상을 초래한다.

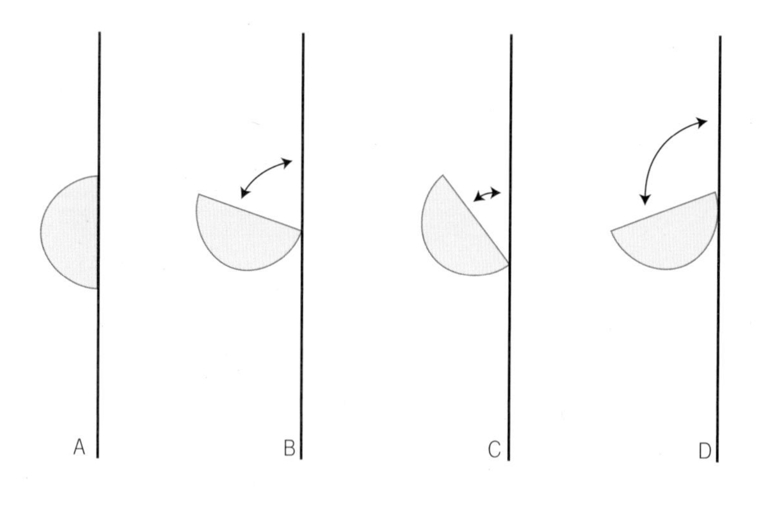

날의 각도

A: 0도-날의 삽입시 정확한 각도
B: 45~90도-치석제거 및 치근활택에 알맞은 각도
C: 45도 이하-치석제거 및 치근활택에 부적절한 각도
D: 90도 이상-치은소파에 정확한 각도

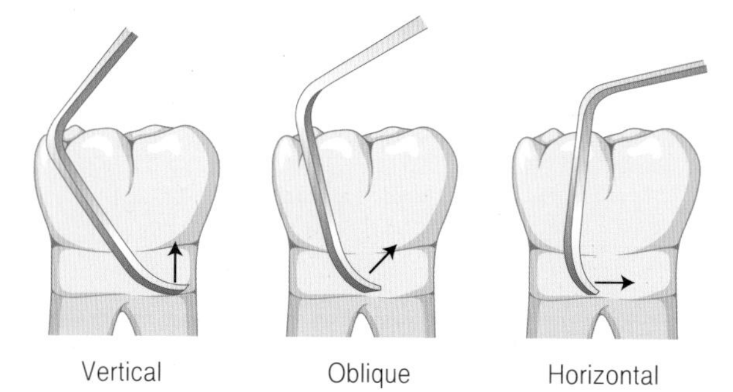

치근면의 exploration

일반적으로 vertical, oblique, horizontal motion으로 이루어진다.

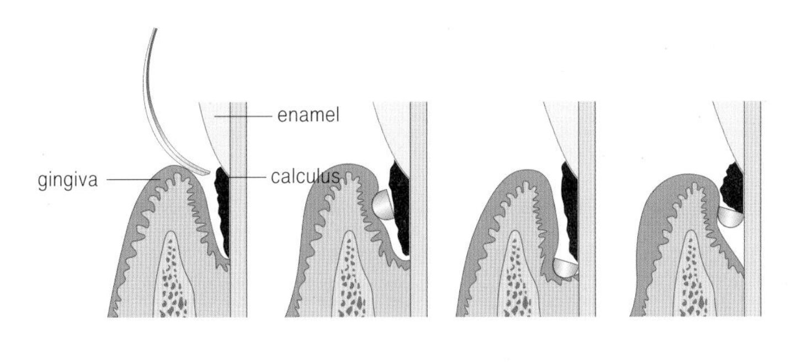

치은연하 치석제거술
A: Curette을 유리치은 하방으로 삽입
B: 날의 전면이 거의 0도가 되도록 치석 하방으로 접근
C: 치주낭의 기저부를 느끼고 blade의 각도를 조절(45~90도)
D: 측방압을 가하면서 치석제거 동작을 치관방향으로 행한다.

3) 치주낭 내 기구삽입

Curette을 치주낭 내로 삽입할 때는 날의 전면이 치면을 향하도록 해야 한다. 이렇게 함으로써 curette의 날이 치면의 외형과 잘 적합되고 치주낭 내로 들어갈 때 작은 저항으로 기저부까지 도달할 수 있다.

4) Exploring stroke

Curette의 날 끝을 이용하여 치주낭의 형태 및 경계 그리고 치근면의 상태를 평가한다. 이 과정을 통해 치주낭의 형태를 완전히 파악하여 조직에 불필요한 외상이 가해지지 않도록 한다.

5) Working stroke

치은연하 치석은 한번의 커다란 조각으로 떨어지지 않고 미세한 조각으로 분쇄되어 분리된다(한번의 큰 조각으로 제거하려고 시도하면 과도한 측방압이 가해져 기구가 파절되기 쉽다).

(1) Scaling stroke

① 힘있고 짧게 잡아당기는 기구놀림이어야 하며, 각각의 기구놀림은 약간씩 중첩
② 손목과 팔의 조화된 지렛대 운동(synchronized wrist-arm motion)
- 이 때 손가락 고정부위가 받침점(pivot) 역할을 하게 된다.
- 손가락만을 이용하는 'finger flexing motion' 은 손의 피로를 쉽게 느끼게 된다.

(2) Root planing stroke

① 기구놀림의 거리는 길고, 약간씩 중첩되어야 하며 비교적 약한 측방압을 가하면서 잡아당기는 기구놀림 혹은 밀고 당기는 기구놀림이 되어야 한다.
② 치근 표면이 매끈해지고 날에 느껴지는 저항이 줄어듦에 따라 측방압도 점차 감소시킨다.

5. 시술 후 조직의 평가

(1) 시술 직후에 적절한 조명 하에서 구내경과 압축공기를 이용하여 치근면 조사
(2) 예리한 탐침이나 치주탐침을 이용하여 치근면이 평탄하고 단단한가를 검사
(3) 1주 후 내원시 시술 부위의 tissue tone과 염증 소실 유무를 검사
(4) 치석제거 및 치근활택술의 임상적 평가는 2주 후 시행하지만 조직의 변화는 1주 안에 나타남.
(5) 치료한 부위를 건조시키고 염증이 계속 존재하는지 검사
 만약 발적 상태가 발견되면 치석이 남아있음을 의미
(6) 치석편이 존재하는 부위가 있으면 치석제거 및 치근활택술을 다시 행하여 치근이 평탄하고 단단하게 함.

6. 구강 내 각 부위별 기구 사용

구강 내에서 각 부위에 따른 기구 사용에 대해 그림으로 설명하였다. 술자에게는 최대한의 효율을, 환자에게는 편안함을 줄 수 있도록 하였다. 대부분 하나 이상의 접근방식이 가능하며 다른 방식이라도 동일한 효율과 편안함을 제공한다면 사용 가능하다.

상악 우측 구치부

협측

1) 보통의 구강 내 손가락 받침

(1) 술자위치: 전방위치
(2) 환자는 전방을 본다.
(3) 직접, 조명, 직접시야를 이용하고 구치부 원심은 간접시야를 이용한다.
 시술하지 않는 손의 둘째와 셋째손가락으로 윗입술을 젖힌다
(4) 소구치 부위에서 가장 효과적이다
(5) 상악 전치부 절단면이나 순면에 넷째 손가락을 댄다.

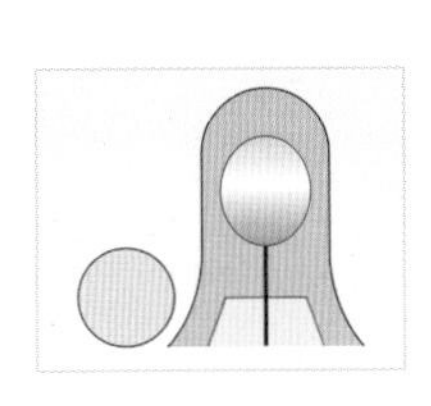

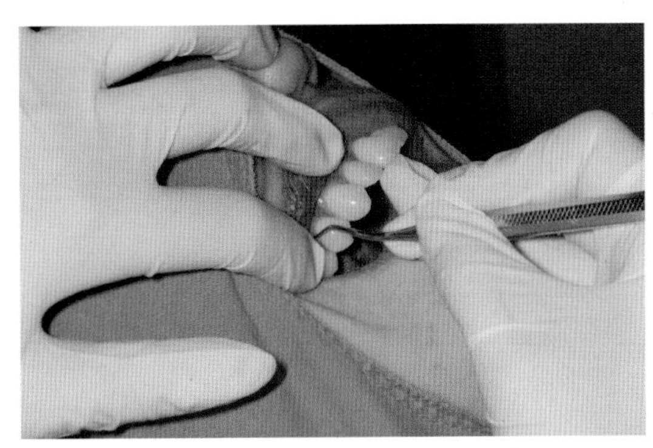

2) 보통의 구강 내 손가락 받침

(1) 술자위치: 측방위치

(2)~(4)는 윗그림과 같다.

(5) 인접 상악치아 즉 상악 소구치의 교합면이나 협면에 손가락받침점을 둔다

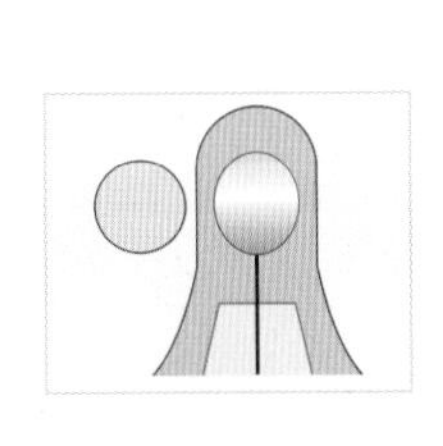

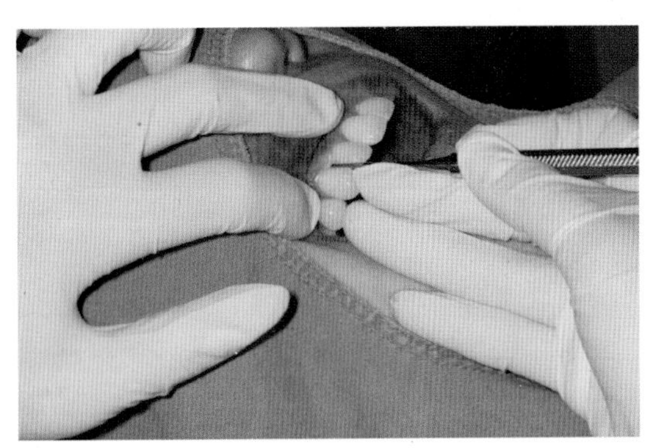

3) 구강 외 장외전 손받침

(1) 술자위치: 전방 혹은 측방위치

(2) 환자는 전방을 보거나 술자 반대 쪽으로 머리를 약간 돌린다.

(3) 조직견인: 구내경으로 뺨을 젖힌다. 가능하면 직접시야와 직접조명을 이용한다.

(4) 손바닥을 위로 향하고 셋째, 넷째, 새끼손가락의 등을 오른쪽 하악부위에 댄다.

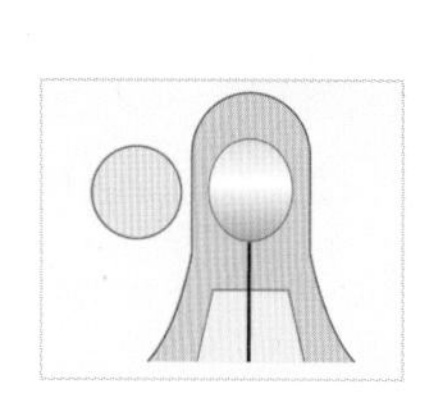

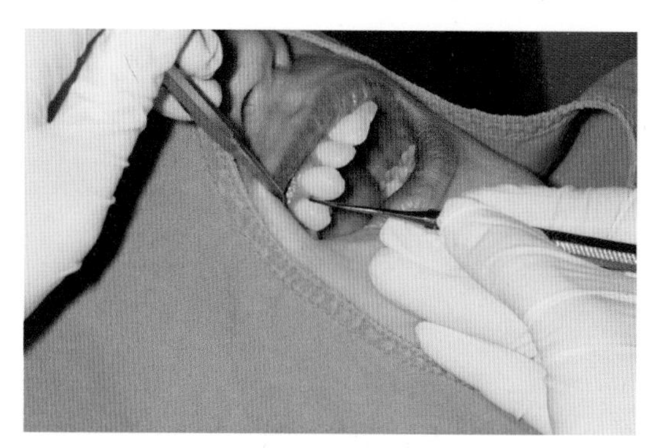

설측

1) 구강 내 반대치열궁에서 보강되는 손가락받침

(1) 술자위치: 전방위치

(2) 환자는 턱을 올리고 술자 쪽으로 머리를 돌린다.

(3) 직접시야와 직접조명을 이용한다.

(4) 하악 전치의 절단연에 넷째손가락을 댄다.

(5) Gracey 7~8번의 경우 비작업측의 둘째손가락을 연결부에 대어 설면 쪽으로 측방압을 가한다.

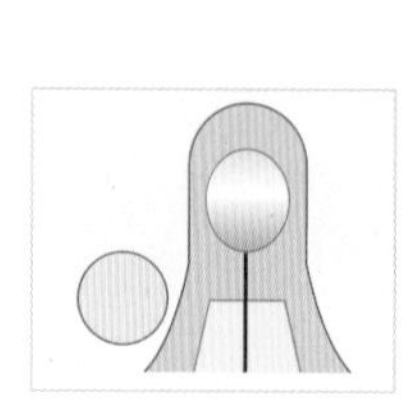

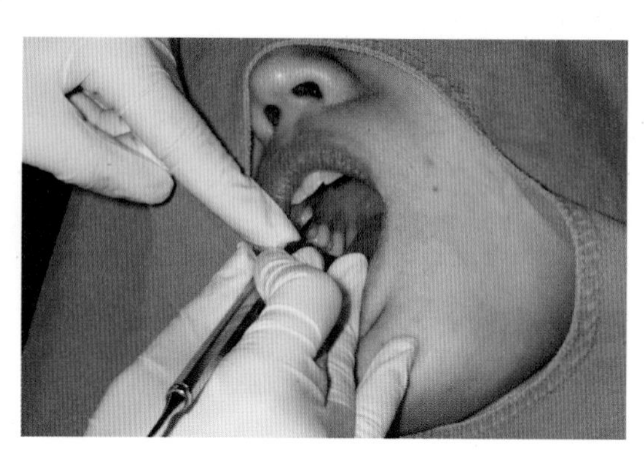

2) 구강 내 반대치열궁에서 보강되는 손가락받침

(1)~(4)는 위의 그림 (1)과 같다. Gracey 11~12번의 경우 비작업측의 둘째손가락을 연결부에 대어 근심면에 대해 측방압을 가한다.

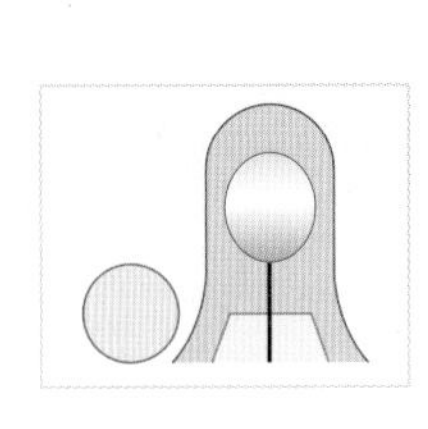
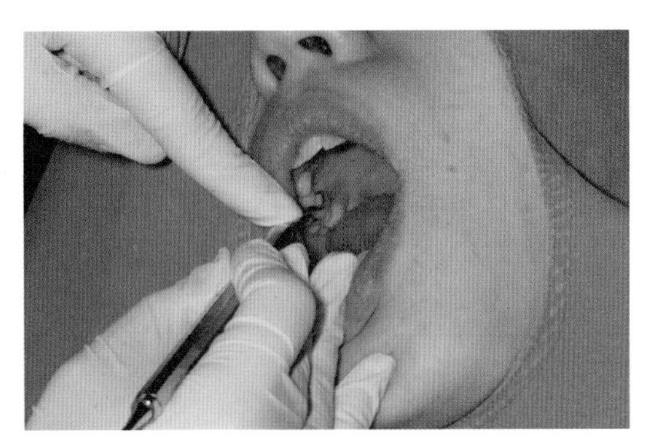

3) 구강 내 반대치열궁에서 보강되는 손가락받침

(1)~(4)는 위의 그림 (1)과 같다. Gracey 13~14번의 경우 비작업측의 둘째손가락을 연결부에 대어 원심면에 대해 측방압을 가한다.

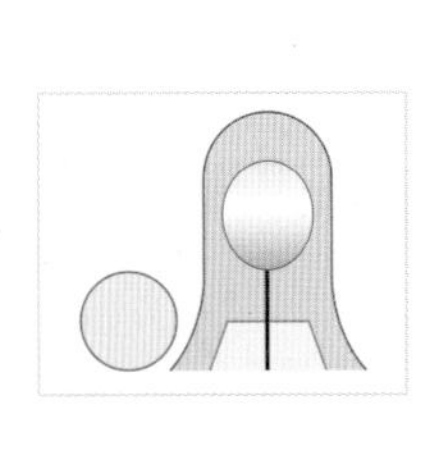
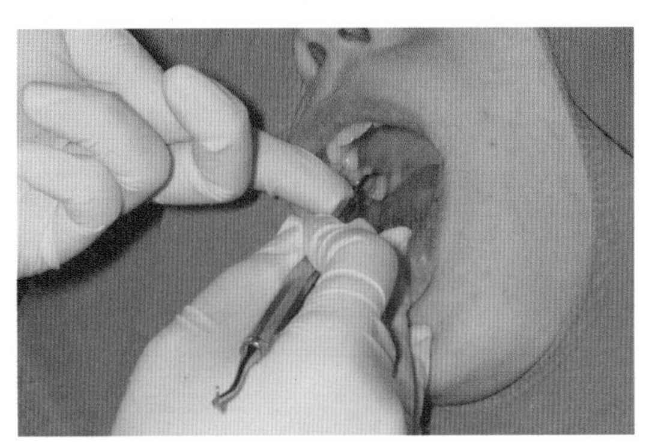

4) 구강 내 반대치열궁에서 보강되는 손가락받침

(1) 술자위치: 전방위치
(2) 환자는 턱을 올려 머리를 술자 쪽으로 돌린다.
(3) 직접조명과 직접시야를 이용한다.
(4) 하악전치 절단연에 손가락받침점을 둔다. 비작업측 둘째손가락을 상악 우측 협측전정에 넣어 치조돌기에 댄다. 비작업측 손의 엄지를 손잡이에 대어 기구의 안정성과 조절성을 높여준다.

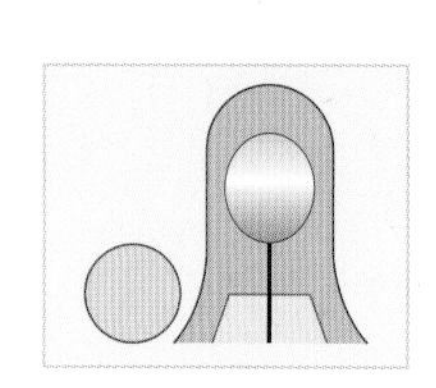
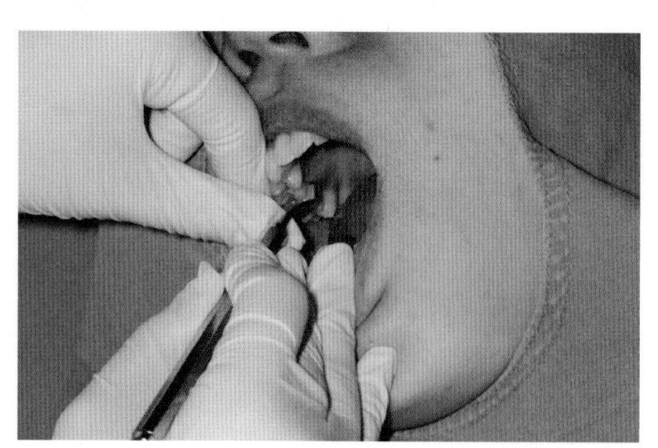

5) 구강 내 손가락 위에 손가락받침

(1) 술자위치: 전방위치
(2) 환자는 머리를 술자 쪽으로 돌린다.
(3) 직접시야와 직접조명을 이용한다.
(4) 비작업측 손의 둘째손가락을 상악 우측 구치의 교합면에 놓는다. 작업측 넷째손가락으로 비작업측 둘째손가락 위에 손가락받침점을 형성한다.

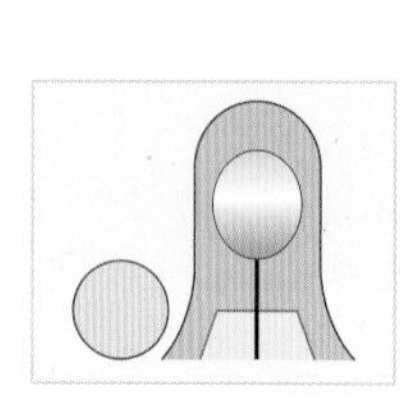
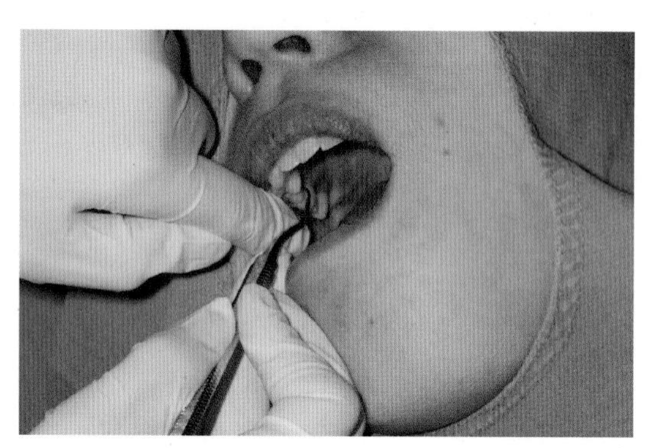

6) 구강 외 장외전 손받침

(1) 술자위치: 전방위치
(2) 환자는 머리를 술자 쪽으로 돌린다.
(3) 구내경의 손가락받침점은 상악 전치의 순면에 형성한다. 구내경으로 간접조명을 얻는다. 가능한 한 직접시야를 이용한다.
(4) 셋째, 넷째, 새끼손가락의 등을 우측 하악 부위에 댄다.

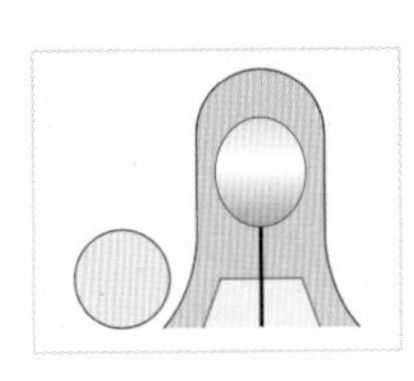
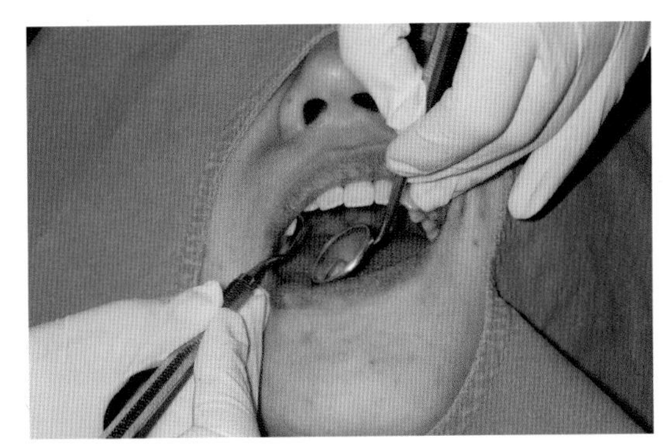

상악 전치부

순측

1) 구강 내 손가락받침점

(1) 술자위치: 전방위치

(2) 환자는 머리를 약간 술자 쪽으로 돌린다.

(3) 직접시야와 조명을 이용한다.

(4) 상악 우측 구치의 교합면에 비작업측 둘째손가락을 위치시킨다. 작업측의 넷째손가락을 비작업측의 둘째손가락에 고정시킨다.

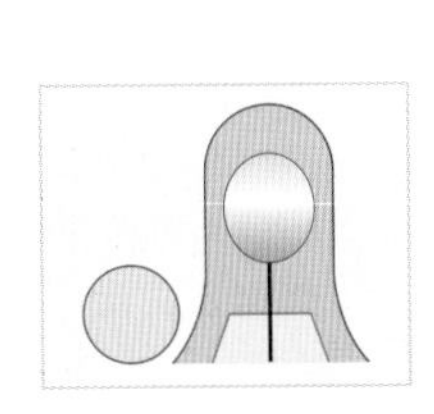
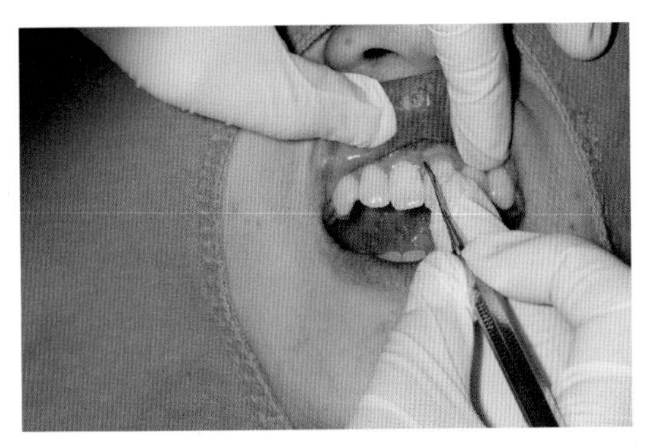

2) 구강 외 장내전 손받침점

(1) 술자위치: 후방위치

(2) 환자는 머리를 술자 쪽으로 돌린다.

(3) 상악 전치의 순면에 구내경을 쥐고서 손가락 받침을 위치시킨다. 구내경은 간접조명을 제공한다. 가능하면 직접시야를 이용한다.

(4) 우측 얼굴의 하악 측면에 셋째, 넷째 및 새끼손가락을 고정시킨다.

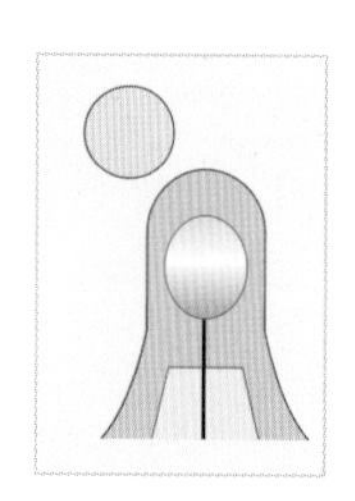

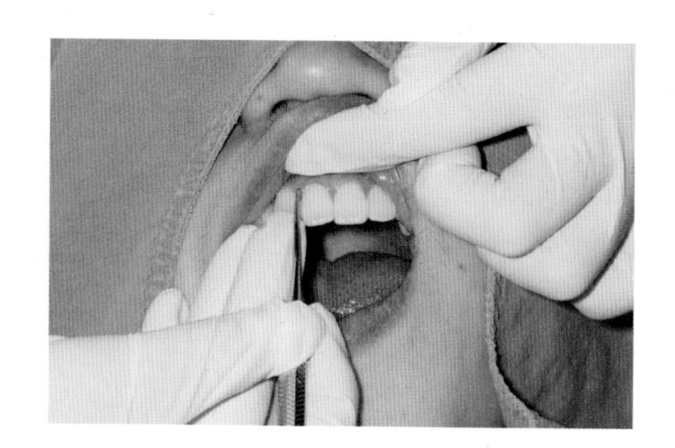

설측

1) 보통의 구강 내 손가락받침

(1) 술자위치: 전방위치

(2) 환자의 머리는 전방을 향한다.

(3) 구내경 손가락받침점은 상악 우측 견치에 둔다. 간접조명과 간접시야를 이용한다.

(4) 주위 상악 치아의 교합면이나 절단연에 넷째손가락을 고정시킨다.

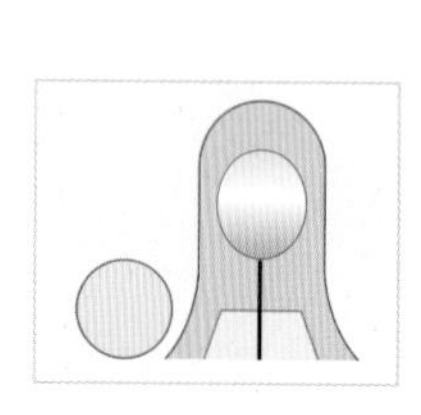

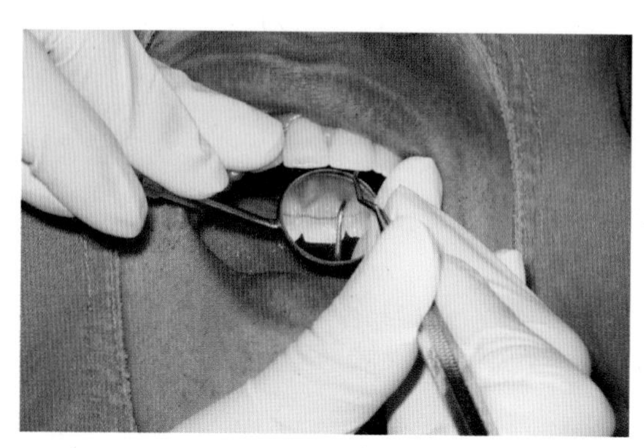

2) 보통의 구강 내 손가락받침

(1) 술자위치: 후방위치

(2) 환자는 전방을 보거나 술자 쪽으로 약간 돌린다.

(3) 구내경 손가락받침점은 상악 좌측 견치에 둔다. 간접조명과 간접시야를 이용한다.

(4) 주위 상악 치아의 교합면이나 절단연에 손가락받침점을 둔다.

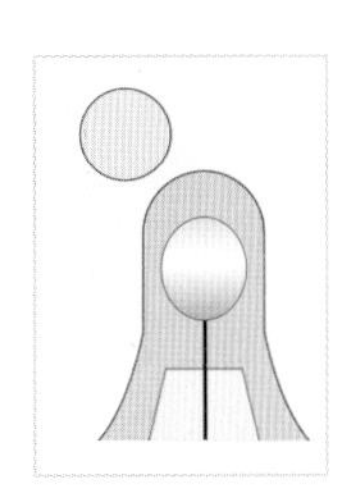
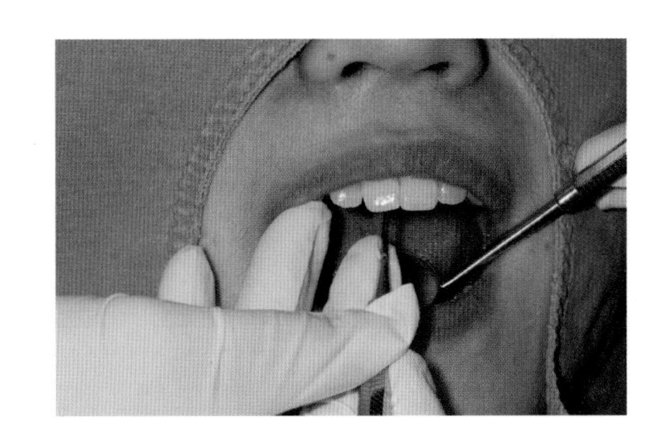

상악 좌측 구치부

협측

1) 보통의 구강 내 손가락받침점 측방

(1) 술자위치: 측방 또는 후방위치
(2) 머리를 술자 쪽으로 돌린다.
(3) 둘째손가락이나 구내경으로 뺨을 젖힌다. 가능하면 항상 직접조명 및 시야를 사용한다.
(4) 인접 상악 치아의 교합면에 넷째손가락을 고정시킨다.
(5) 소구치 부위에서 가장 효과적이다.

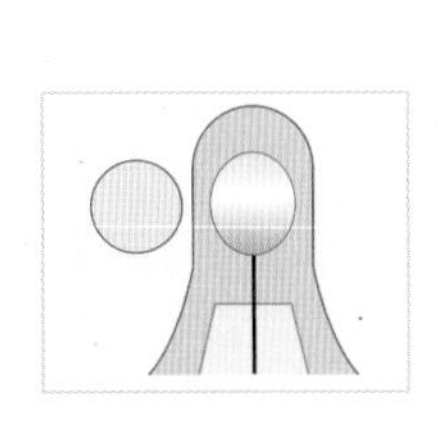
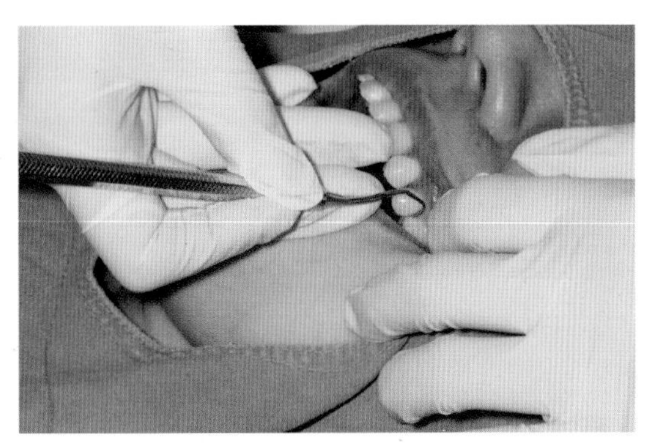

2) 구강 외 장내전 손받침점

(1) 술자위치: 측방위치
(2) 머리를 술자 쪽으로 돌린다.
(3) 뺨을 구내경이나 비작업측 둘째손가락으로 젖힌다. 가능한 한 직접시야 및 조명을 사용한다.
(4) 좌측 얼굴의 하악 측면에 셋째, 넷째 및 새끼손가락의 전면을 위치시킨다.

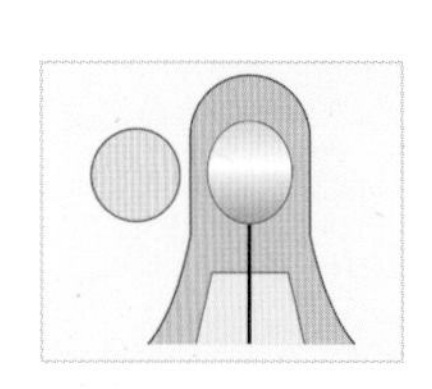
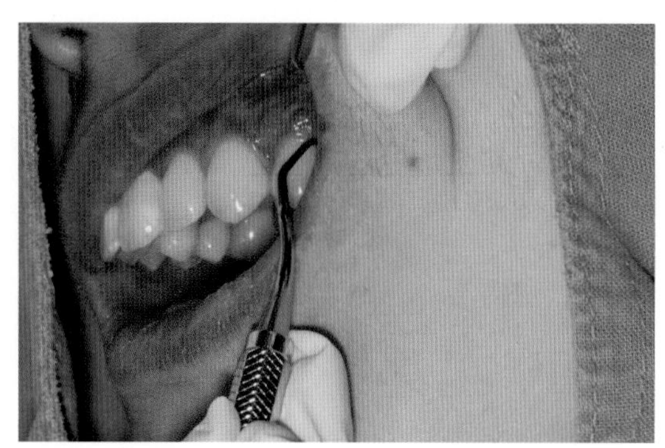

설측

구강 내 반대치열궁에서 보강되는 손가락받침점

(1) 술자위치: 전방위치

(2) 턱을 위로 하고 머리는 약간 술자 반대방향으로 돌린다.

(3) 빰을 젖힐 필요가 없이 직접조명 및 시야를 사용한다.

(4) 하악 소구치의 순면 또는 하악 전치의 절단연에 넷째손가락을 고정한다.

(5) Gracey 7~8의 경우 비작업측 둘째손가락을 연결부에 위치시켜 설면에 대해 측방압을 가한다.

(6) Gracey 11~12번의 경우 비작업측 둘째손가락을 연결부에 위치시켜 후방으로 측방압을 가한다.

(7) Gracey 13~14번의 경우 비작업측 둘째손가락을 연결부에 대어 원심면쪽으로 측방압을 가한다.

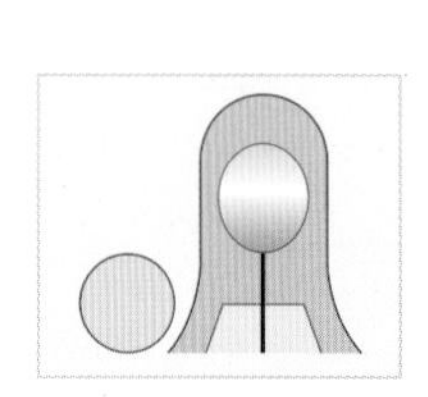
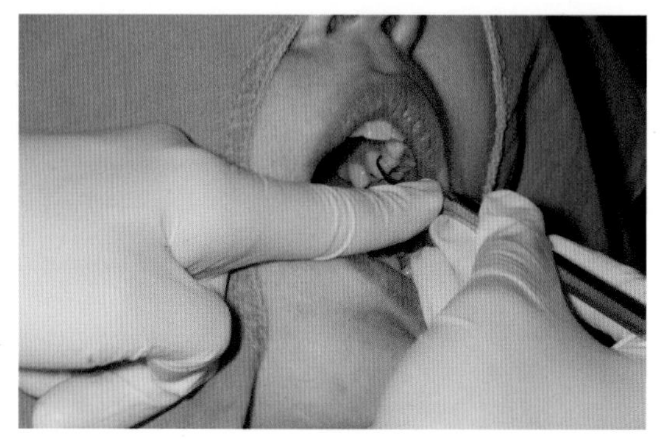

하악 좌측 구치부

협측

1) 보통의 구강 내 손가락받침점

(1) 술자위치: 측방위치

(2) 머리를 술자 쪽으로 돌린다.

(3) 구내경이나 비작업측 둘째손가락으로 뺨을 젖힌다. 가능하면 항상 직접시야 및 조명을 사용한다.

(4) 인접 하악 치아의 절단연, 교합면 혹은 협면에 넷째손가락을 고정시킨다.

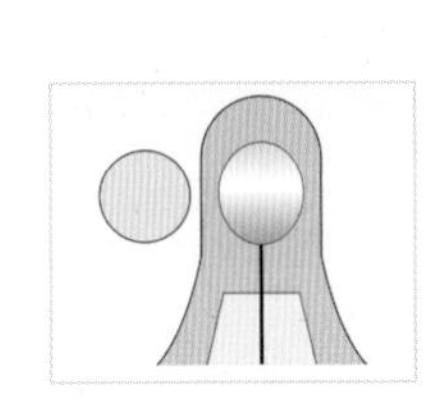

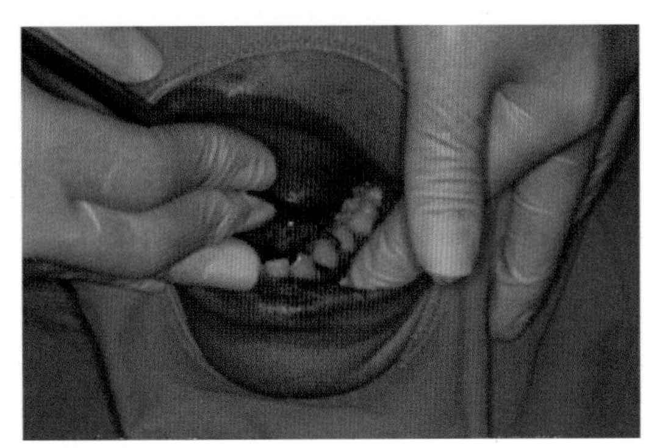

2) 구강 내 손가락 위에 손가락받침점을 형성

(1) 술자위치: 전방위치

(2) 턱을 아래로 하고 머리를 술자 쪽으로 돌린다.

(3) 하악 좌측 협측 전정에 비작업측 둘째손가락을 위치시킨다. 직접시야 및 조명을 이용한다.

(4) 비작업측 둘째손가락 위에 넷째손가락을 위치시킨다.

(5) 소구치 부위에만 효과적이다.

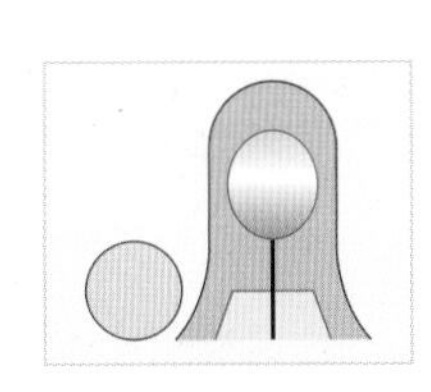

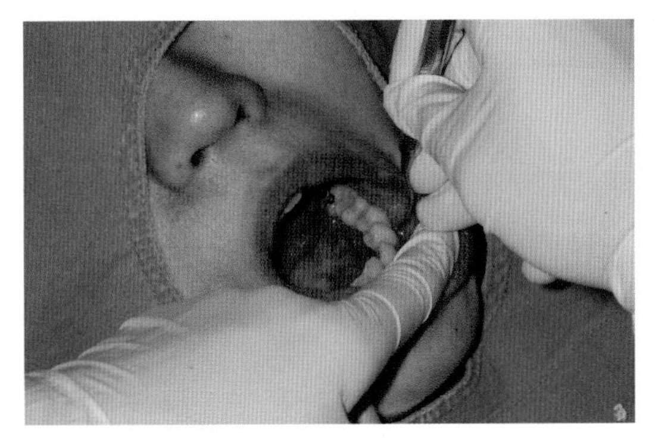

설측

보통의 구강 내 손가락받침점

(1) 술자위치: 전방위치

(2) 턱을 아래로 하고 머리는 술자를 향해 돌린다.

(3) 상악 우측 견치의 협면이나 하악 우측 소구치의 교합면에 구내경을 위한 손가락받침점을 둔다. 구내경으로 혀를 젖히고 간접 조명을 얻는다. 가능하면 항상 직접시야를 사용한다.

(4) 인접 하악 치아의 교합면이나 절단연에 넷째손가락을고정시킨다.

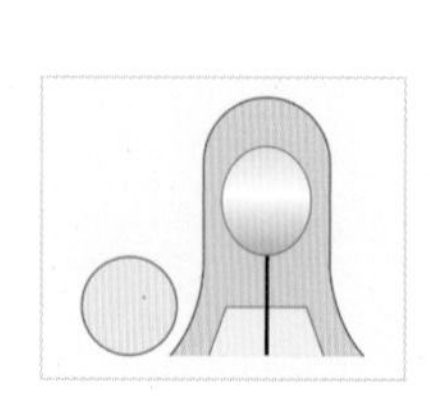
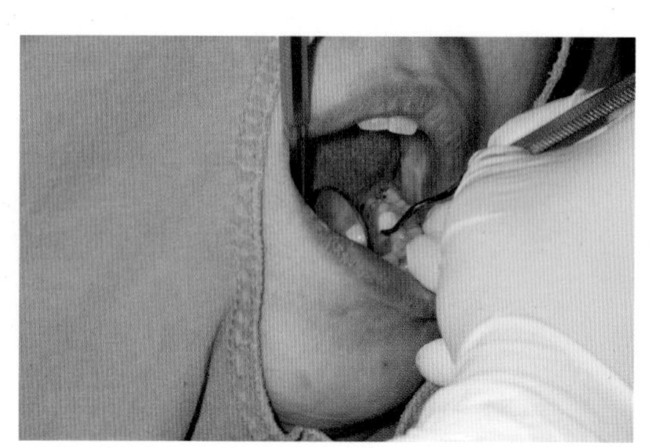

하악 전치부

순측

1) 보통의 구강 내 손가락받침점

(1) 술자위치: 전방위치

(2) 턱을 아래로 내리고 머리는 술자를 향한다.

(3) 직접시야 및 직접조명을 위하여 비작업측 둘째손가락으로 아래 입술을 젖힌다.

(4) 인접 하악 치아의 교합면 혹은 절단연에 넷째손가락을 고정한다.

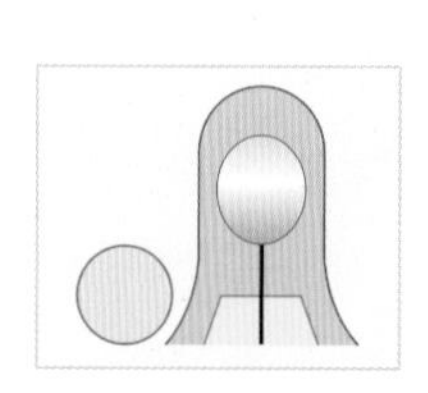
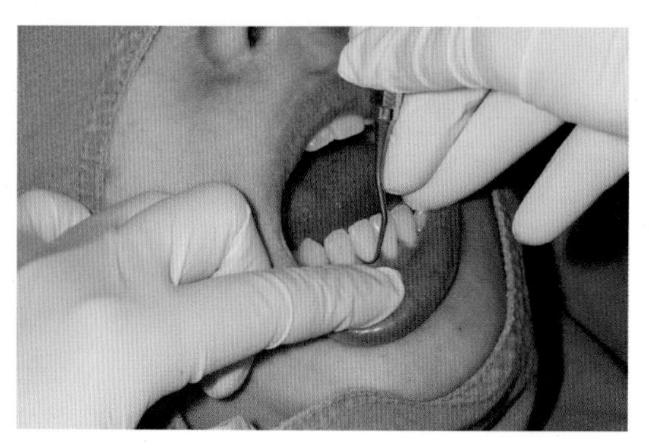

2) 보통의 구강 내 손가락받침점

(1) 술자위치: 후방위치

(2) 머리를 약간 술자 쪽으로 돌린다.

(3) 직접시야 및 직접조명을 위하여 비작업측의 엄지손가락 및 둘째손가락으로 아래 입술을 젖힌다.

(4) 인접 하악 치아의 교합면이나 절단연에 넷째손가락을 고정한다.

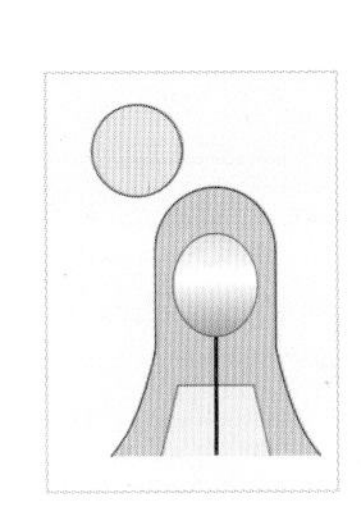

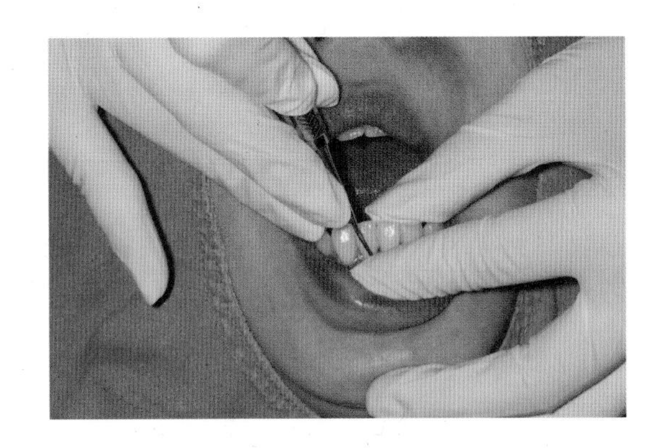

설측

1) 보통의 구강 내 손가락받침점

(1) 술자위치: 전방위치

(2) 턱을 아래로 하고 머리는 약간 술자 쪽으로 돌린다.

(3) 하악 우측 소구치의 교합면에 구내경의 손가락 받침점(오른손잡이일 경우에 왼손)을 둔다.

(4) 구내경으로 혀를 젖히고 간접시야 및 조명을 얻는다.

(5) 인접 하악 치아의 교합면 및 절단연에 넷째손가락을 위치시킨다.

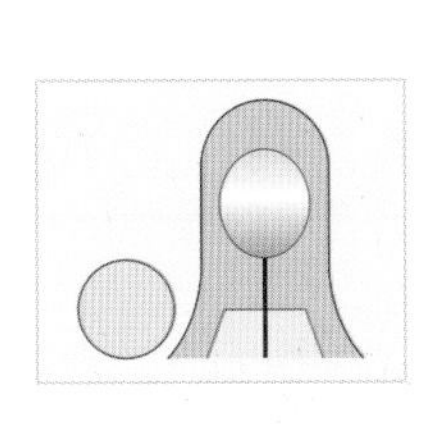

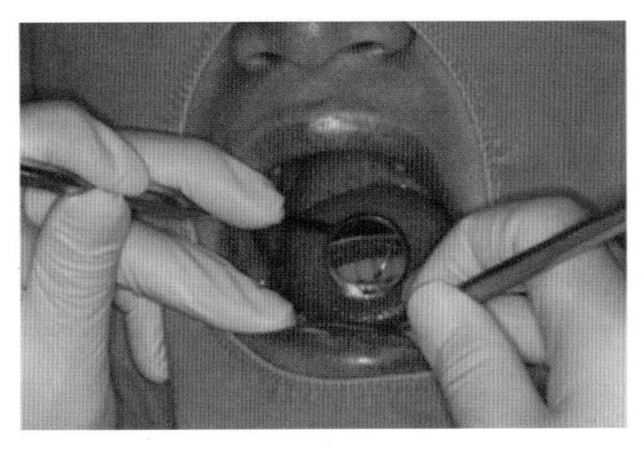

2) 보통의 구강 내 손가락받침점

(1) 술자위치: 후방위치

(2) 환자는 전방을 바라보며 턱을 아래로 하고 약간 술자를 향한다.

(3) 하악 좌측 소구치 또는 견치의 순면에 구내경을 위한 손가락받침점을 두고 구내경으로 혀를 젖히고 간접조명을 비춘다. 직접시야를 이용한다.

(4) 하악 인접치아의 교합면이나 절단연에 넷째손가락을 놓는다.

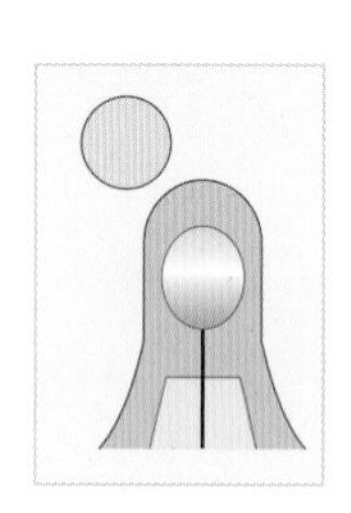

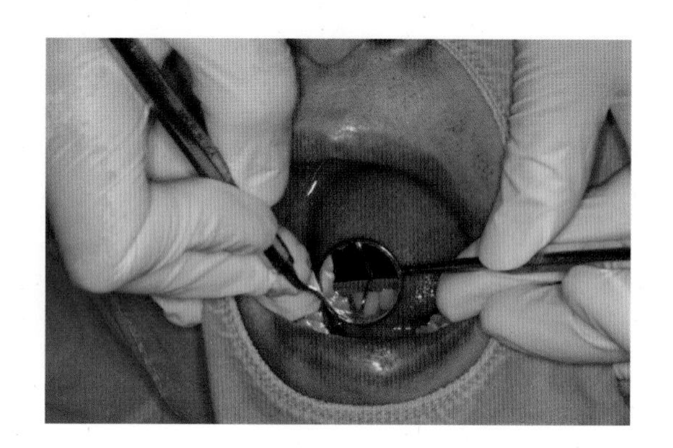

하악 우측 구치부

협측

1) 보통의 구강 내 손가락받침점

(1) 술자위치: 전방위치

(2) 환자에게 턱을 내리게 하고 머리는 술자를 향하게 한다.

(3) 시야를 좋게 하기 위해 집게손가락이나 구내경으로 뺨을 젖힌다.

(4) 인접 하악 치아의 교합면 혹은 절단연에 넷째손가락을 고정시킨다.

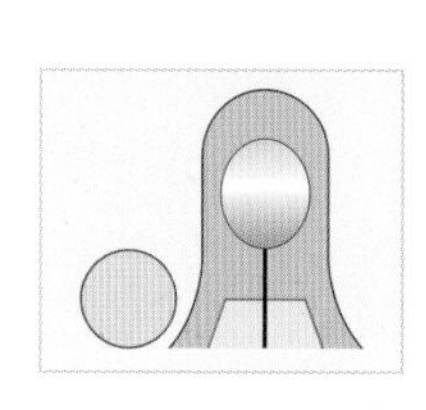

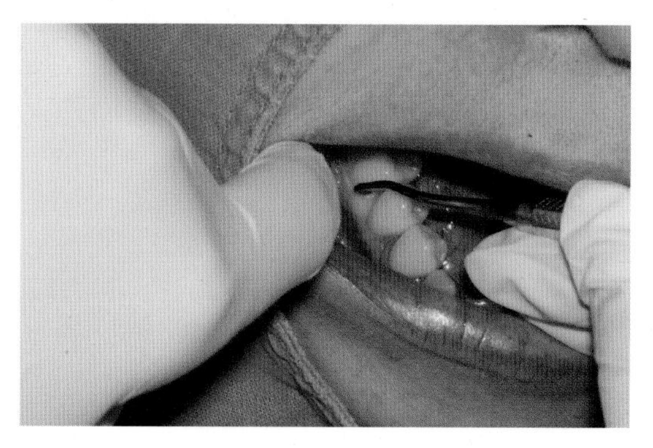

2) 구강 안에서 손가락 위에 손가락받침점을 형성

(1) 술자위치: 후방위치
(2) 환자는 전방을 보거나 약간 술자를 향한다.
(3) 비작업측 손의 둘째손가락을 협측전정(하악 우측)에 위치시킨다.
(4) 비작업측 손의 둘째손가락에 넷째손가락을 위치시킨다.
(5) 소구치 부위에만 효과적이다.

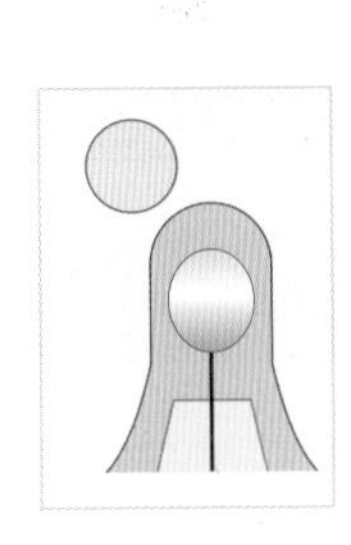
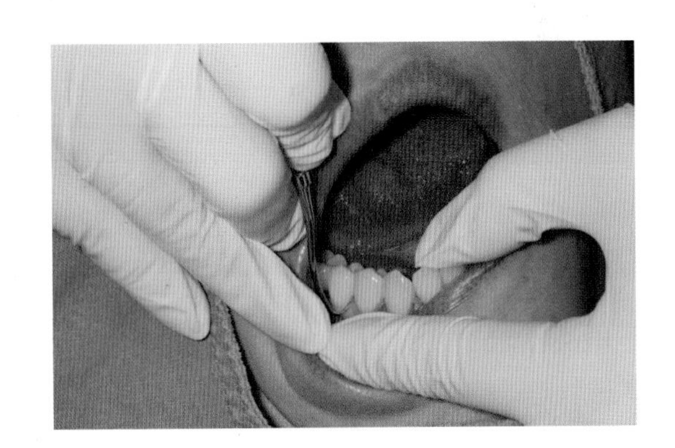

설측

보통의 구강 내 손가락받침점

(1) 술자위치: 전방위치
(2) 환자는 턱을 내리고 머리를 술자 쪽으로 돌린다.
(3) 구내경으로 혀를 젖히면 필요한 간접시야와 조명을 얻을 수 있다. 가능하면 항상 직접조명과 직접시야를 이용한다.
(4) 인접 하악 치아의 교합면과 절단연에 넷째손가락을 고정한다.

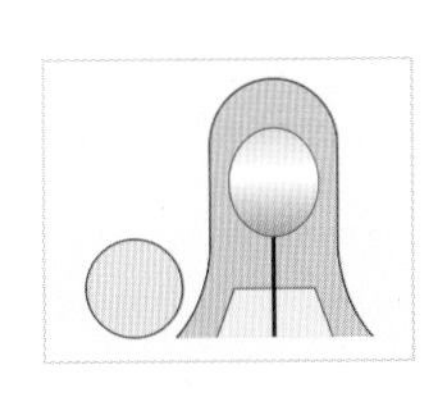
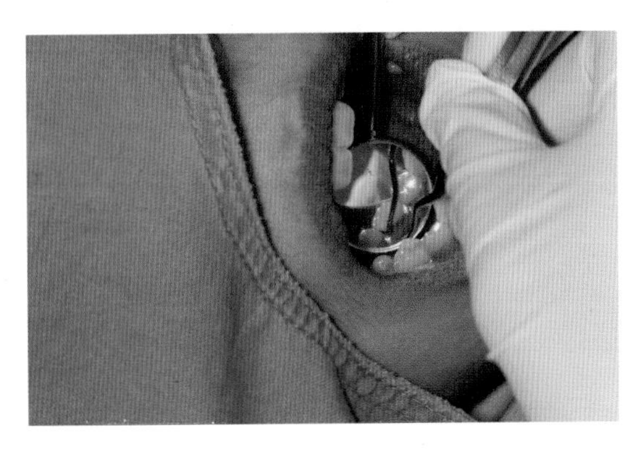

치근이개부

하악 치근이개부

(1) 원심치근의 근심면 : Gracey 11~12번

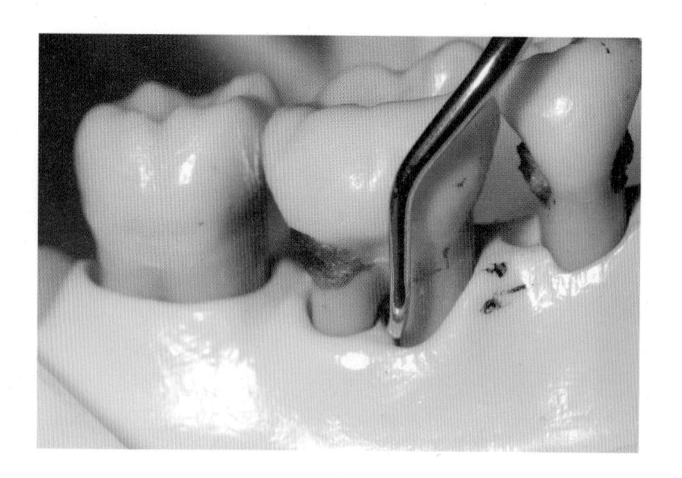

(2) 근심치근의 원심면 : Gracey 13~14번

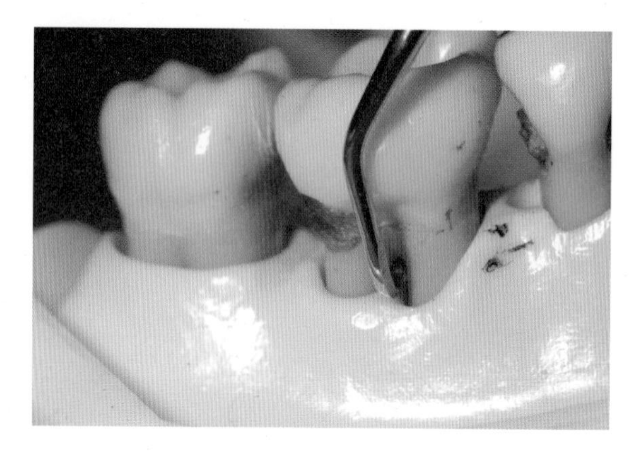

상악 치근이개부

협측

(1) 원심협측 치근의 근심면 : Gracey 11~12, 5~6, 7~8

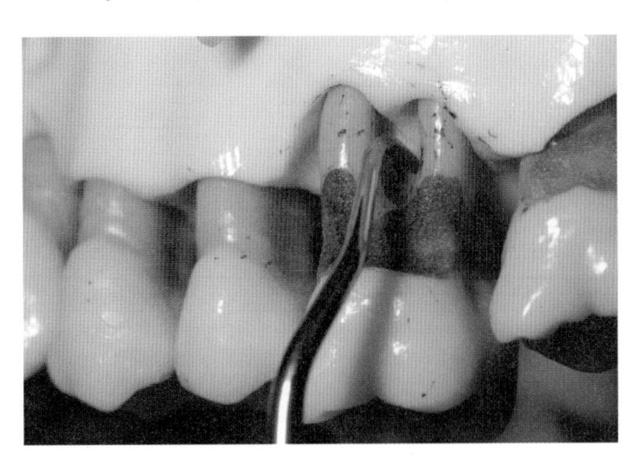

(2) 근심협측 치근의 원심면 : Gracey 13~14, 11~12, 7~8

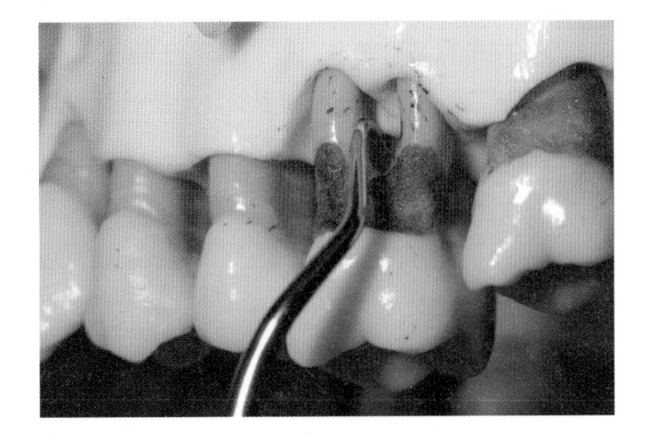

근심측

(1) 근심의 치근이개부 : 구개측에서 Gracey 1~2, 5~6, 11~12로 접근

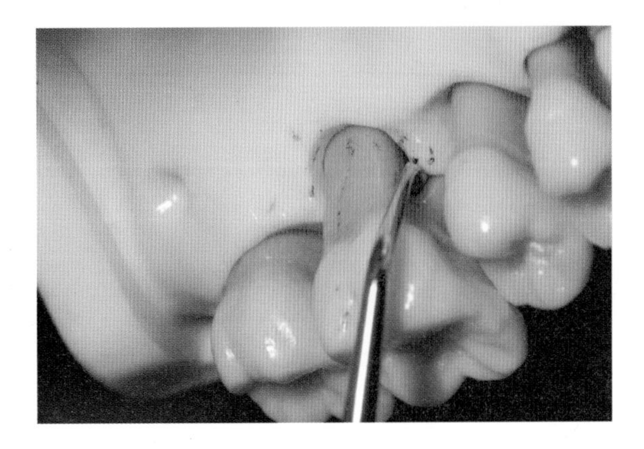

원심측

(1) 원심치근이개부 : Gracey 13~14

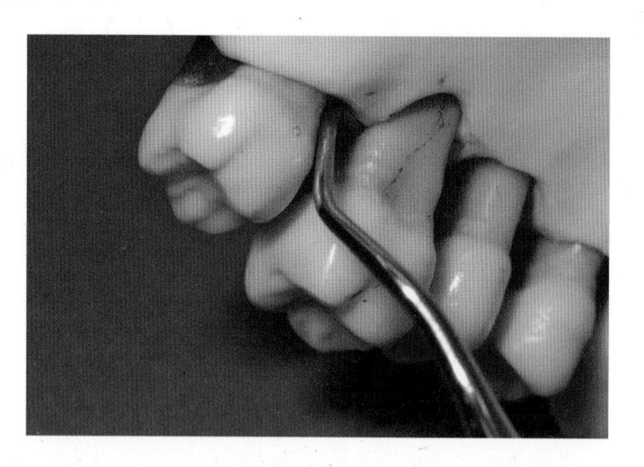

(2) 원심의 함몰부 : Gracey 13~14번의 끝을 치근단으로 향하게 하여 사용한다.

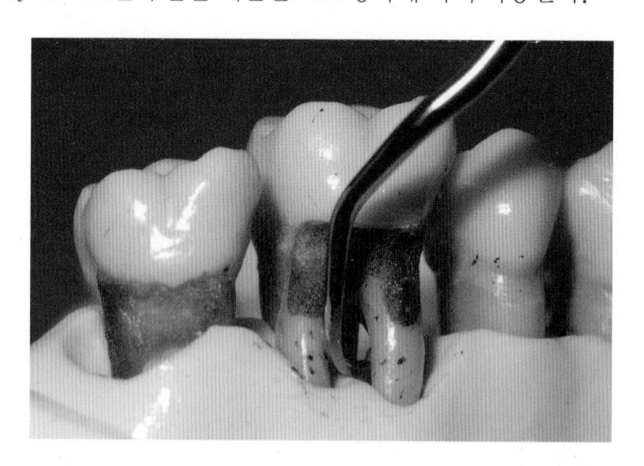

7. 국소마취

1) 하악

(1) 하악 전달마취 - 치아와 연조직 및 경조직에 대한 마취효과를 얻을 수 있다.

(2) 하악 전치부 침윤마취 - 양쪽에서 오는 신경이 정중선을 넘어 서로 교차하는 경향이 있어 양측성으로 마취해야 한다.

(3) 협신경의 전달마취 - 협측 연조직

(4) 설신경의 전달마취, 구강저의 침윤마취 - 설측 연조직

(5) 치료하고자 하는 부위의 치은에 추가적 마취를 행하면 더욱더 확실한 마취효과와 함께 출혈 감소효과를 얻을 수 있다.

2) 상악

(1) 상악은 침윤마취를 통해 쉽게 마취효과를 얻을 수 있다.

(2) 상악 결절 부위는 pterygoid venous plexus의 존재로 주의를 요한다.

(3) 구개측에서는 치은연에서 치근단으로 10 mm 떨어진 곳에 침윤마취를 한다.

(4) Nasopalatine nerve의 전달마취 - 상악 전치부

(5) Greater palatine nerve의 전달마취 - 구치부의 구개측

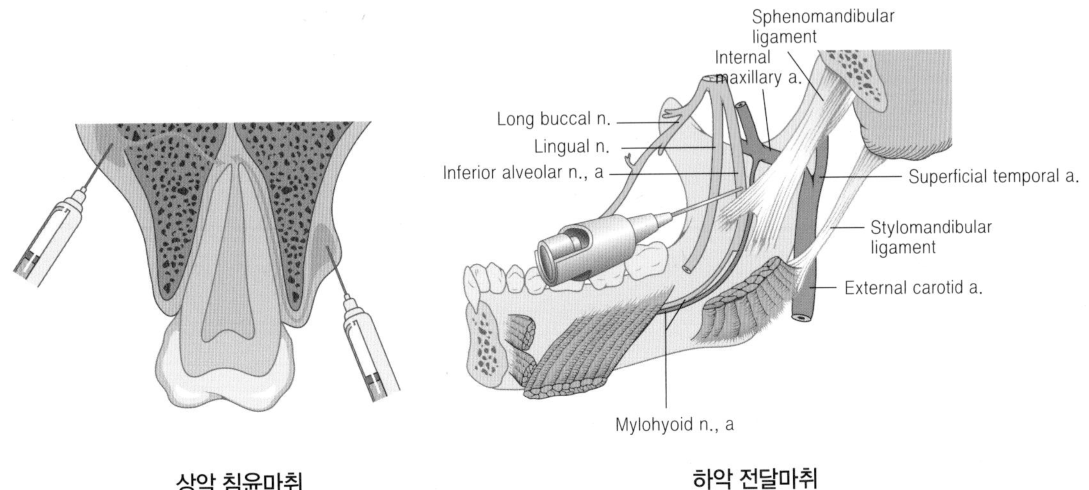

상악 침윤마취　　　하악 전달마취

실 습

실습 준비물

mirror, pincette, explorer, periodontal probe, Gracey curette, sickle scaler, gauze, saline, dentiform

실습 내용

1. 실습 첫째 날

치주용 dentiform에서 치아의 cervical 부위의 치은연상, 치은연하 치석을 매니큐어로 재현한 후 curette을 사용하여 치석제거술 및 치근활택술을 시행한다.

2. 실습 둘째 날

2인 1조가 되어 상악 및 하악의 국소마취를 시행하고 치석제거술과 치근활택술을 실습한다.

Chapter 09
치주수술
Flap operation

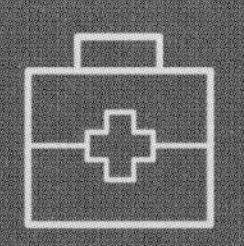

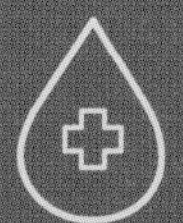

실습목표

- 치주수술의 목적과 적응증을 판단할 수 있다.
- 봉합의 원칙을 준수하여 기본 봉합술을 수행할 수 있다.
- 치과 환자의 치료에 필요한 약물을 선택하고, 투약하고, 처방할 수 있어야 한다.

핵심평가요소

- 시술과정 중 무균적 원칙을 적용할 수 있는가?
- 기본 봉합술을 시행할 수 있는가?
- 필요한 약을 적절하게 처방할 수 있는가?

1. 치주수술의 정의와 개념

1) 치주수술의 정의

(1) 치주영역의 연조직과 경조직에 대한 외과적 처치

(2) 치석제거술이나 치근활택술을 제외한 관혈적(觀血的) 술식을 말함

2) 치주수술의 개념변화

치주과학 발전 초기에는 질환에 이환된 치은조직의 절제와 치주낭 제거가 치주치료의 주목적이었다.

현재 치주외과적 처치의 기본 개념은

(1) 치주시술 후 치은연하 및 연상 치태가 없고

(2) 병적 치주낭이 없고

(3) 치은변연 관계에서 수복물 등으로 인한 치태침착 요소가 제거되어야 한다.

2. 치주수술의 목적

(1) 치주판막을 형성함으로써 시야를 넓게 하고 기구 접근도를 효율적으로 하여 전문적인 치석제거술과 치근활택술이 효과적으로 수행될 수 있도록 한다.

(2) 치은 외형을 재형성하여 환자 스스로 치태조절을 용이하게 할 수 있도록 한다.

(3) 수복 보철 처치에 적합한 치주환경을 만들어 지대치의 생존연장 가능성을 높인다.

(4) 파괴된 치주조직의 부착기구(attachment apparatus)를 재생시킨다.

(5) 심미 상태를 회복한다.

(6) 치은치조점막의 문제를 해결한다.

3. 치주수술의 종류

1) 치은소파술(Gingival curettage)

(1) 정의 : 치주낭 측벽의 염증성 연조직만을 제거하는 술식

(2) 목적 : 치주낭 내의 조직 잔사와 만성 염증성 육아조직을 제거함으로써 치유를 촉진시키고 치은 수축을 가속화시켜 치주낭을 제거

참고

치은연하 소파술(Subgingival curettage)

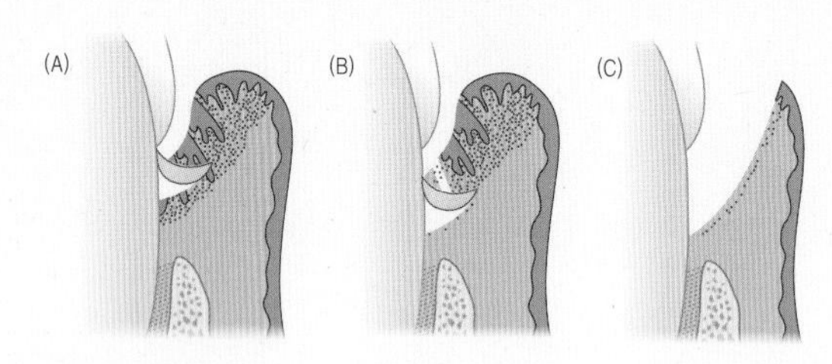

(A) 치주낭 상피를 제거한다.
(B) 접합상피 및 육아조직을 제거한다.
(C) 시술이 완료된 상태

(1) 정의: 치주낭 내의 치조골 부위까지 기구를 도달시켜 치주낭 측벽의 염증성 연조직과 접합상피, 치조골 부위의 염증성 결합조직까지 제거하는 술식

(2) 목적: 접합상피와 하부 염증성 조직을 제거하여 치주섬유들이 치근면에 대한 기존 위치보다 치관방향으로 재부착을 유도하여 치주낭을 제거

(3) 적응증

① 깊지 않은 골연상 및 골연하 치주낭 제거

② 치주 치료 후 수축되어 정상 치은열구 깊이로 회복이 예상되는 부종성 치은염

③ 전신적 조건 때문에 수술이 불가능한 경우

④ 치주낭 제거술 후 정기적 재검사시 치은염이나 치주낭이 재발된 경우

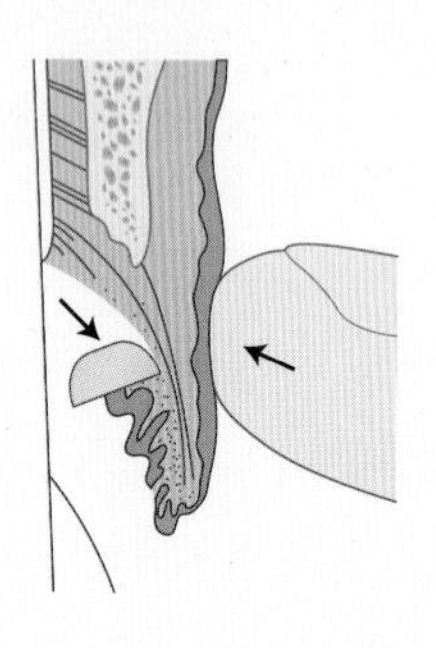

치주낭 조직을 제거할 때 치주낭 외측을 손가락으로 가볍게 받쳐주면서 시술하면 연조직 제거가 보다 용이하다.

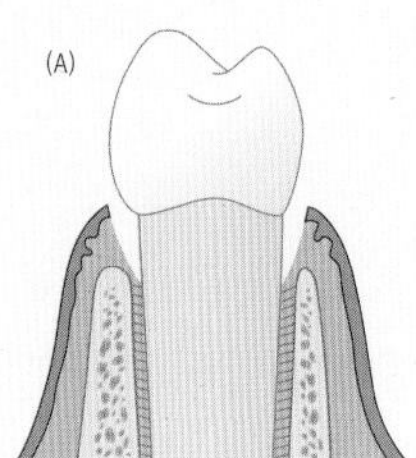

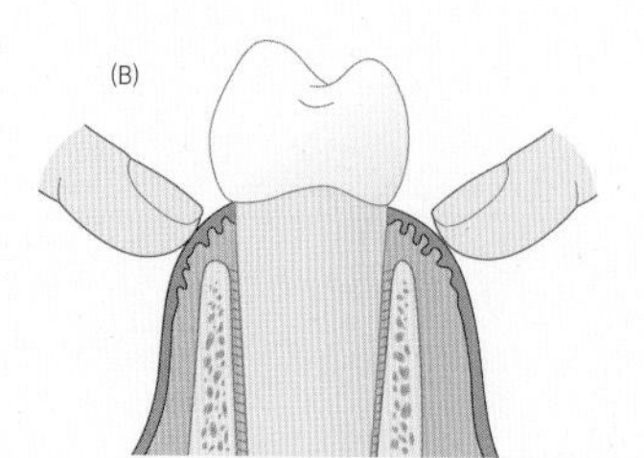

(A) 치은연하 소파술이 완료된 상태
(B) 양측에서 손가락으로 치은을 치근면에 밀착시켜 1~3분간 압박함으로써 치은접합과 지혈 효과를 얻는다.

2) 치은절제술(Gingivectomy)

(1) 정의 : 질병에 이환된 치주낭 조직을 절제하여 치주낭을 제거하는 술식

(2) 목적 : ① 시술시야의 확보

② 기구 사용을 용이하게 하여 치근면의 국소자극인자 제거를 용이하게 함

(3) 적응증

① 치주치료 이후 조직의 수축이 일어나지 않는 단단하고 섬유화된 골연상낭과 위낭 제거 시

② 증식된 치은조직 제거

③ 골연상 치주농양 제거

④ 임상적 치관길이의 증가가 필요할 때(치은연하 치아우식증 치료, 보철물 유지력 강화 등)

⑤ 치근이개부 병변

3) 치은성형술

(1) 정의 : 치은절제술의 마지막 단계에서 주로 시행되며, 치은을 생리학적 외형이 되도록 다듬는 과정

(2) 목적 : 치주낭이 없는 상태에서 생리적 치은의 형태로 재형성

(3) 적응증

① 연조직의 이상을 수정할 때(예; 교정치료 후, 치주수술 후, ANUG)

② 심미성이 필요한 경우

4) 변형 위드만 판막술(Modified Widman Flap; MWF)

(1) 정의 : 1918년 Widman에 의해 소개된 판막술을 1974년 Ramfjord와 Nissle가 변형시킨 방법으로 치은연하 소파술의 변형인 open flap curettage로 알려져 있다.

(2) 목적 : 치근면에 건강한 치주연조직을 긴밀하게 접착시켜 최대한의 신부착을 기대

(3) 적응증

① 심미성이 중요한 부위에 중등도 깊이의 치주낭 존재 시

② 중등도의 치근 이개부 병소

③ 치아우식률이 높고 지각과민 증상이 있는 환자

(4) 술식

① 1차 내사면 절개

② 판막의 형성

③ 2차 열구 절개

④ 3차 절개

⑤ 절개 조직 및 육아조직의 제거

⑥ 치석제거 및 치근활택

⑦ 판막의 접합 및 봉합

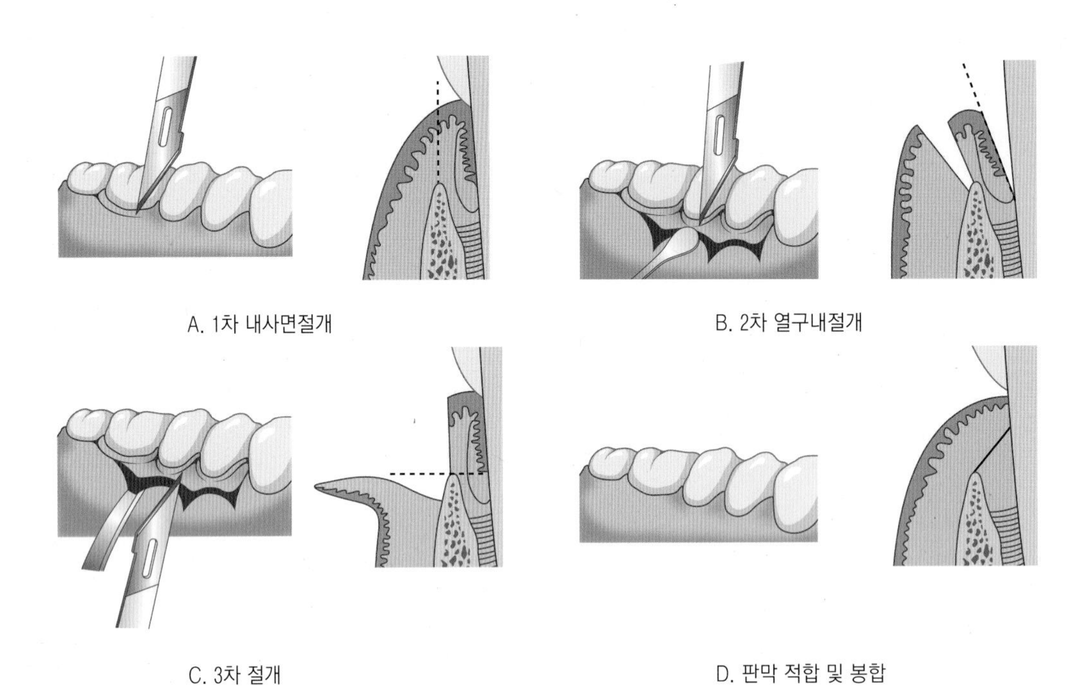

A. 1차 내사면절개

B. 2차 열구내절개

C. 3차 절개

D. 판막 적합 및 봉합

4. Suture

1) 봉합의 목적

(1) 창상부위의 폐쇄

(2) 창상부위의 지혈

(3) 혈병의 유지

(4) 연조직의 치면과 골면에 대한 적합성 향상

(5) 적절한 위치로 판막과 이식편의 고정

(6) 재생 요법 시 차폐막의 고정

(7) 판막을 봉합사로 견인하는 것에 의한 수술시야의 확보

(8) 이식편을 수용부에 삽입할 때 사용

2) 봉합의 원칙

(1) 봉합침 전장의 약 3/4 정도에 needle holder로 고정한다.

(2) 조직에 수직으로 자입하여 봉합침의 만곡도에 따라 원형으로 움직인다.

(3) 움직이는 조직(free end)으로부터 고정된 조직(fixed end)의 방향으로 봉합한다.

(4) 조직에 장력이 발생하지 않도록 봉합과 매듭을 만들고 절개선 위에 매듭이 위치하지 않도록 한다.

(5) 봉합 전 봉합사를 소독된 생리식염수에 적셔두어 봉합 시 조직의 손상을 피하도록 한다.

3) 필요한 기구

(1) Needle holder

(2) Scissors

(3) Tissue forcep

(4) 봉합사

4) 봉합사와 봉합침

(1) 봉합사

① 종류

봉합사의 분류

	종류	상품명
비흡수성	Silk; 합사 Nylon; 단일사 e–PTFE; 단일사 Polyester; 합사	Ethilon Gore–tex Ethibond
흡수성	Surgical gut Plain gut; 단일사(30일) Chromic gut; 단일사(45~60일)	
합성사	Polyglycolic; 합사(16~20일) Polyglecaprone; 단일사(90~120일) Polyglyconate; 단일사	Vicryl; Ethicon Dexon; Davis & Geck Monocryl; Ethicon Maxon

② 크기 : 숫자가 높을수록 직경과 강도 감소

- 3-0 : 구개부 치주판막 수술
- 4-0 : 일반적인 치주수술
- 5-0 : 부분층 판막술과 점막 이식술

(2) 봉합침 : 주로 1/2, 3/8 circle 사용. needle 끝의 종류에 따라 원형, 삼각형, 역삼각형으로 나눈다.

① 원형(Taper point) : 부드러운 조직(복막, 장, 심장 등)

② 삼각형(Conventional cutting) : 조직이 찢어질 수 있음

③ 역삼각(Reverse cutting) : 딱딱한 조직(피부, 치은 등)

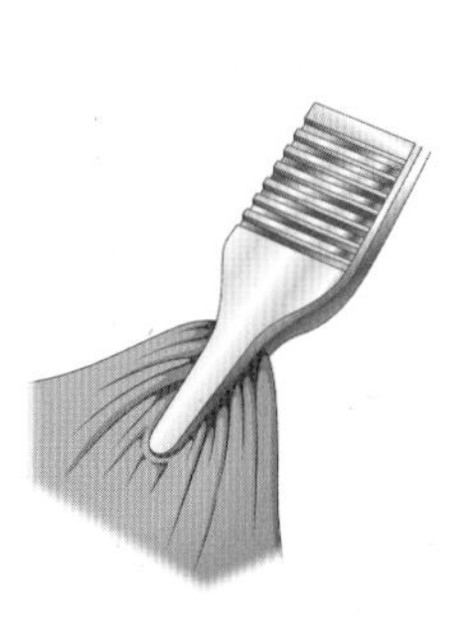

Tissue forcep을 이용하여
피판을 잡은 모습

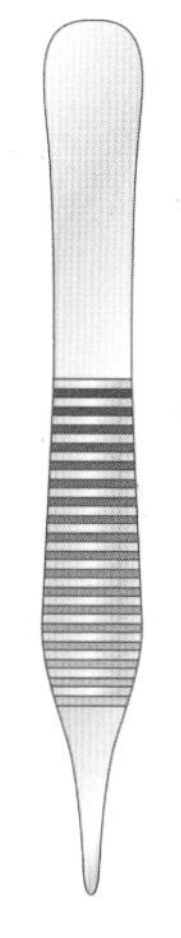

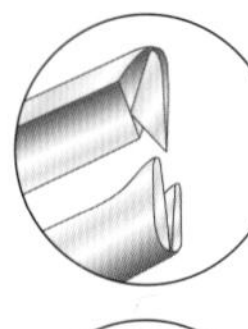

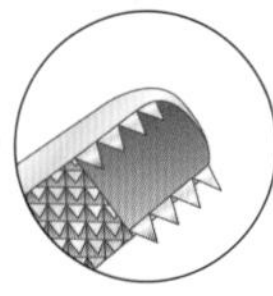

Multiple Teeth
(조직을 잡는 데 선호된다)

Tissue forcep을 이용하여
피판을 잡은 모습

참고

봉합침의 명칭

-현의 길이 : 바늘 굴곡의 첨부와 압인부 사이의 직선 길이
-바늘 길이 : 바늘 자체의 굴곡을 따라 측정한 바늘 첨부와 말단의 길이
-반경 : 바늘의 굴곡이 원을 만든다고 생각할 때 그 원의 중심에서 바늘 체부까지의 길이
-직경 : 바늘의 치수(gauge)나 두께

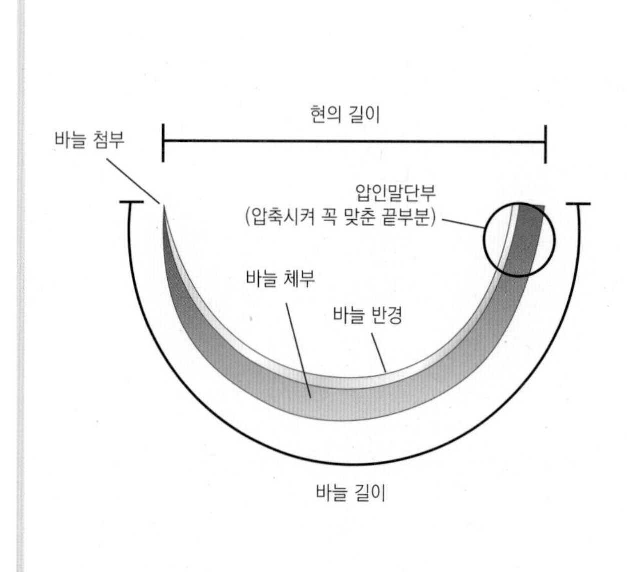

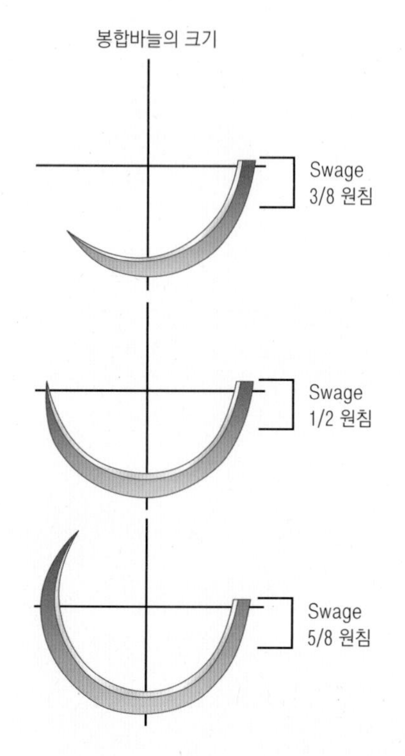

5) 봉합 종류 및 특징

(1) 치간봉합(Interdental suture)

① 직접결찰(Direct loop suture)

- 치간 유두의 적합상태가 우수함
- 긴밀한 적합이 필요할 때

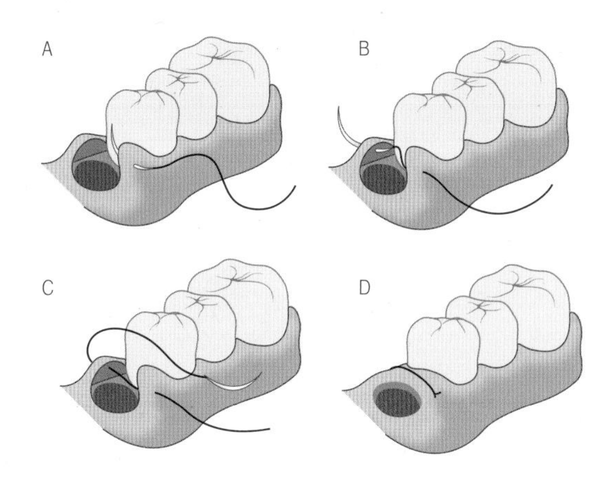

② 8자형 봉합(Figure of 8 suture)

- 판막의 긴밀한 접착이 필요치 않거나
  하방변위 판막술 시 이용

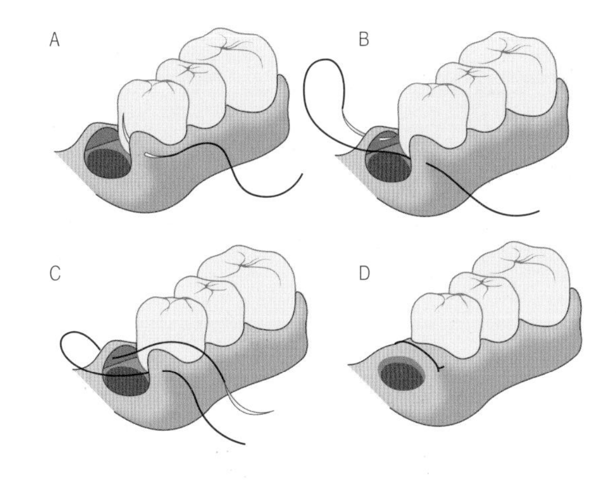

(2) 부유형 봉합(Sling suture)

- 순, 설측 한쪽에만 2개의 치간 유두 포함한 판막 형성 시
- 설측과 순측 판막을 서로 다른 위치에 고정할 때 이용

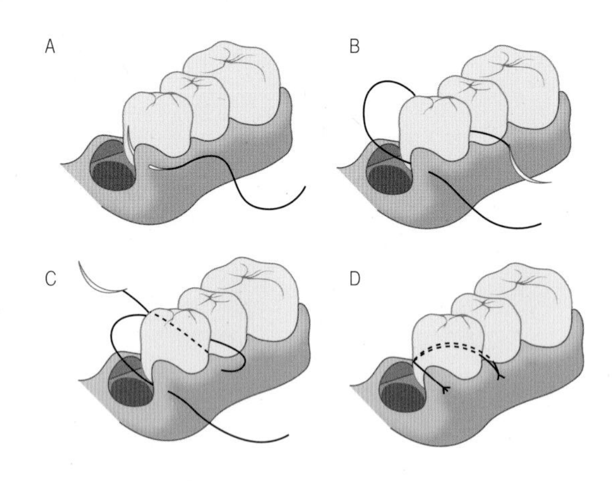

(3) 연속 독립 부유형 봉합(Continuous independent sling suture)

- 여러 치아가 협, 설측 판막에 포함된 경우
- 협, 설측 판막을 각각 다른 위치로 고정 시킬 경우

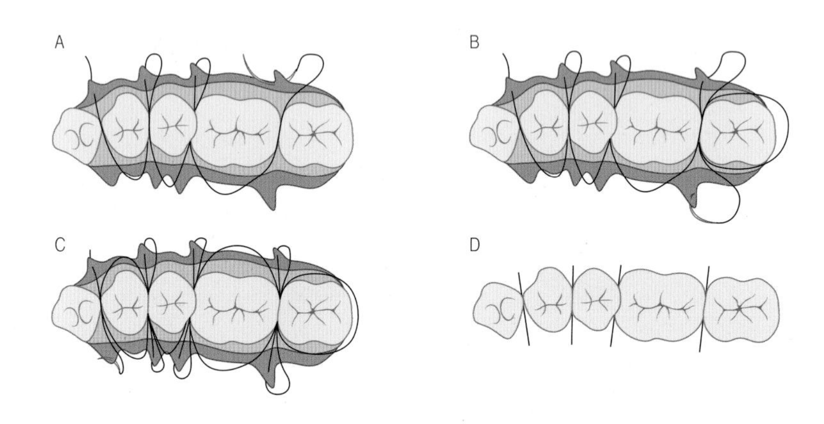

(4) 수평누상 봉합(Horizontal mattress suture)

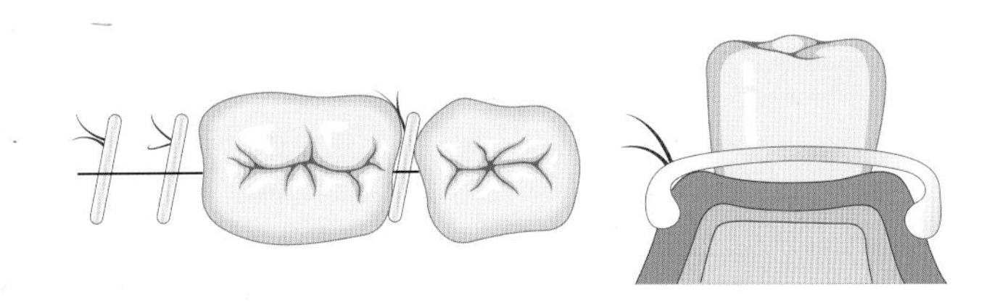

(5) 고정 봉합(Anchor suture)

- 후구치수술에서와 같이 치아의 근, 원심 측의 판막을 긴밀하게 접합시킬 때 사용

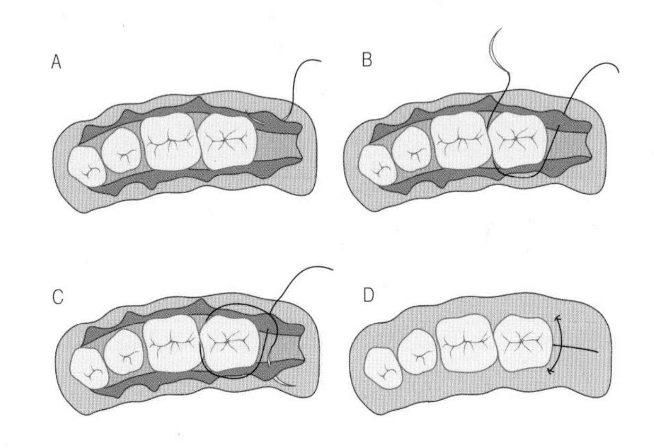

6) 결찰의 원칙과 Knot의 종류

(1) 결찰의 원칙

① 절개선 부위와 자입점을 피한다.

② 과도한 장력으로 봉합하지 않는다.

③ 봉합사가 풀리지 않도록 결찰한다.

④ 3~5 mm 정도 남기고 자른다. 단사(monofilament)인 경우 10 mm 정도로 길게 잘라주어야 점막의 찔림이 방지된다.

(2) Knot의 종류

① Square knot : 첫 번째 매듭과 반대방향으로 매듭이 풀리기 어렵다.

② Granny knot : 첫 번째 매듭과 같은 방향으로 매듭이 풀리기 쉽다.

③ Surgeon's knot : 첫 번째 매듭을 2회 돌려서 만들며, 풀리기 쉬운 봉합사 이용 시 사용한다.

④ 3중 매듭 : 미끄러지기 쉬운 봉합사 이용 시 사용한다.

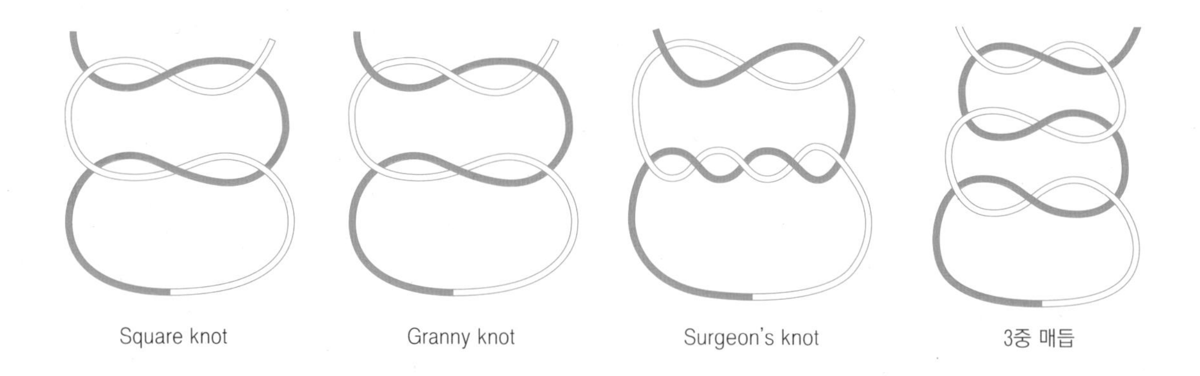

7) 봉합사 제거(Suture removal)

희석된 과산화수소수나 클로르헥시딘 글루코네이트와 같은 구강세정용 소독제에 적신 면구로 응고된 혈액 등을 제거하고 창상부위를 깨끗하게 한다. 그런 다음 치과 겸자를 사용하여 조직으로부터 봉합매듭을 들어올린다. 구강 내에 노출되었던 '오염된 봉합사'가 창상을 통과하는 것을 방지하기 위해 봉합사는 가능한 조직 가까이에서 자른다. 연속 봉합을 제거할 때에는 각각의 절편을 자르고 각각 제거해야 한다.

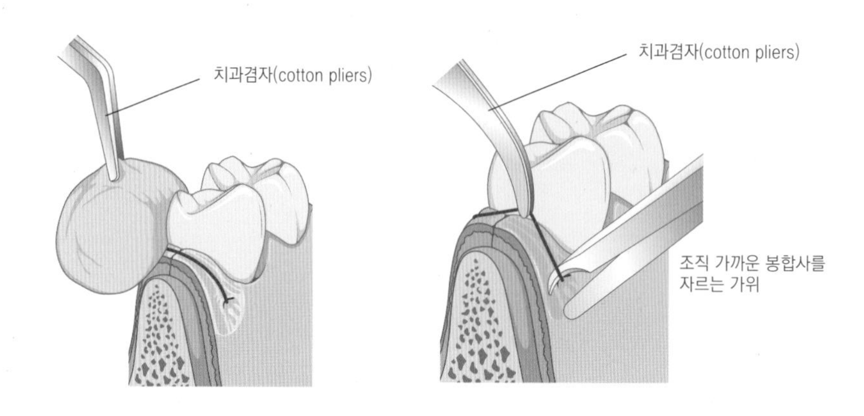

모든 봉합사를 일률적으로 1주일 후 제거하는 것이 아니라, 봉합사를 들어 올릴 때, 판막으로부터 떨어져 있고 가동성이 있는 봉합사만 제거한다. 재생형 수술 등 치유가 오래 걸리는 수술 후에는 10~14일 사이에 적절한 조직 회복을 확인하고 봉합사를 제거한다.

5. 치주포대 Periodontal pack

1) 목적과 종류

(1) 목적

① 수술 후 창상 보호
② 감염의 최소화
③ 저작 시 외상의 방지
④ 치태 등의 자극으로부터 보호하여 치유촉진
⑤ 음식물과 혀로부터 상처를 보호하여 동통의 경감

(2) 종류

① 유지놀 포대
② 비유지놀 포대 : 현재 가장 많이 사용됨.
ex) Coe-Pak®

2) 사용법

1) Accelerator와 base tube로부터 paste를 같은 길이로 짜서 균일한 색깔이 얻어질 때까지 혼합한다.
2) 포대를 두 개의 strip으로 만들어 치료한 길이만큼 둥글게 만든다.
3) 한 strip은 순면에 대고 치은 변연과 치간 사이를 살짝 누르고, 다른 strip은 설측에 댄다.
4) 최후방 치아의 원심에서 두 strip이 만나 변연 치은을 따라 중앙부까지 이르도록 한다.
5) Strip들은 순설측에서 서로 눌러 치간 사이에서 만나게 한다.
6) 포대는 치은을 충분히 덮어야 하지만, 불필요하게 확장하여 협점막, 구강저, 혀 등을 자극하지 않도록 한다. 교합에 방해가 되지 않도록 치아의 최대 풍융부를 넘지 않도록 부착한다.
7) 일반적으로 수술 후 1주일 간 부착하며 필요한 경우 기간을 연장하거나 일주일 후 재부착을 할 수 있다.
8) 재부착 하는 경우
- 포대 제거 시 치은 조직에 염증이 잔존하거나 출혈이 지속되는 경우
- 초기 부착 후 3일 이내에 탈락 시
- 광범위한 외과적 시술 시
- 치유 지연 시

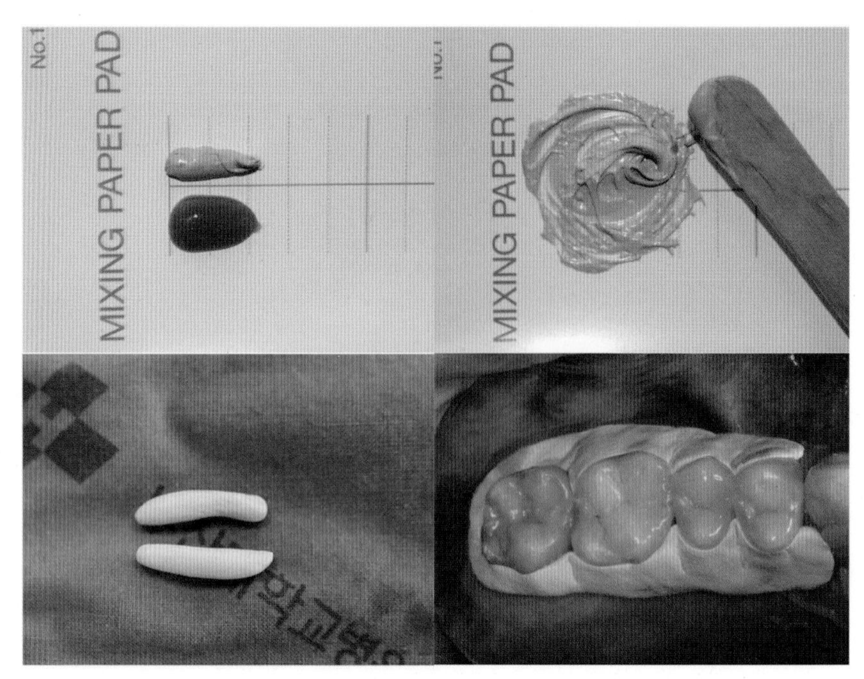

6. 술 후 환자 교육 - 치주 수술 후 주의사항

① 포대 : 수술 부위에 음식물이 끼지 않도록 하고, 수술 부위를 보호하기 위해 붙여놓은 것을 포대라고 합니다. 포대는 다음 약속일 이전에 떨어지더라도 불편하지 않으면 염려하실 필요가 없습니다.

② 부기 : 수술 부위는 경우에 따라서 심하게 붓기도 합니다. 수술 후, 비닐봉지 등에 얼음을 넣고 수술 부위에 10분 찜질, 10분 쉬는 방법으로 수술 당일에 한하여 잠자리에 드시기 전까지 얼음찜질을 해 주시기 바랍니다.

③ 약 : 수술 후 진통 목적보다는 바람직한 치유 목적으로 처방하였으므로 약은 반드시 처방대로 모두 드십시오. 만일 약으로 인한 부작용(알레르기, 심한 소화 장애 및 설사 등)이 나타나면 즉시 복용을 멈추고 연락 주십시오.

④ 음식물, 담배 : 수술 당일에는 지혈을 위해 뜨거운 음식을 삼가시는 것이 좋습니다. 술과 자극성이 있는 음식물 섭취는 수술 부위에 자극이 되니 자제해 주시고, 특히 흡연은 회복을 방해하므로 금연 부탁드립니다.

⑤ 출혈 : 수술 부위에서 출혈이 계속되는 경우 거즈를 30분쯤 출혈 부위에 누르고 계십시오. 만일 과다하게 출혈이 되면 즉시 내원해 주시기 바랍니다. 수술 후 입안에 고이는 피나 침을 절대 뱉지 마시고 삼키십시오. 계속해서 뱉으시면 피가 멎지 않고 심하게 부을 수 있습니다.

⑥ 오한 : 수술한 당일에는 오한과 허약해진 느낌이 들 수 있습니다. 충분한 휴식과 안정이 필요하므로 다음날까지는 운동과 목욕탕(사우나) 이용을 삼가야 합니다. 그러나 샤워 정도는 가능합니다.

⑦ 칫솔질 : 수술 부위를 제외한 모든 부위에 대해 이미 배우신 방법대로 정상적인 칫솔질을 하십시오. 포대의 유무에 관계없이 수술 부위는 다음 약속일까지 칫솔질을 하지 마십시오.
⑧ 구강소독액 : 수술부위를 칫솔질하지 않는 대신에 소독 목적으로 아침, 저녁 1분 간 머금고 있다가 뱉어내십시오. 헥사메딘(구강소독액)을 사용할 때 치아와 혀의 갈색 착색, 쓴 맛, 그리고 얼얼함 등 부작용이 있을 수 있으며, 심한 경우 구강점막의 상피탈락, 혀의 작열감 등이 있습니다. 심한 경우 그 사용을 잠시 중단하시고 담당의와 상의하시기 바랍니다.
⑨ 과민증상 : 수술 후 차가운 것에 민감한 반응이 나타날 수 있는데 이때에는 당분간 미지근한 물을 사용하시기 바랍니다. 이러한 지각과민은 지속되다가 향후 서서히 감소합니다.

7. 술 후 문제점의 처치

(1) 출혈의 지속

경미한 출혈의 경우 출혈부위를 찾아 압박, 전기소작 등을 시행하고, 중등도 이상의 출혈이 있는 경우 봉합, 결찰 등으로 지혈시킨다.

(2) 타진 검사에 민감한 반응

염증이 치주인대까지 확산된 경우 국소적인 감염이나 자극 또는 잔존치석을 제거하고, 과다하게 부착된 포대로 인한 경우는 포대를 재부착한다.

(3) 종창

수술과정에 대한 국소적인 염증반응으로 인해 초래되며, 체온 상승과 함께 나타난다. 전신적인 antibiotics를 처방한다.

(4) 전신적인 무력감

수술 후 24시간 이내에 나타나며 일시적인 균혈증이 원인이 된다. 전신적인 antibiotics를 처방한다.

(5) 수술 후 동통

치주수술 후 동통은 강도가 약하고 불편감을 호소할 정도이며, 광범위한 수술 시에는 진통제의 사전 사용이 바람직하다.

(6) 수술 후 지각과민증

치태조절이 시작되면 점차적으로 증상이 경감되며, 치수에 자극이 적게 가해질 수 있도록 지도하며 치료한다.

치주수술 동의서

등록번호: ____________ **환자성명:** ____________ **주민등록번호:** ____________
진단명: ____________
한글수술[시술/검사]명: ____________

□치은박리소파술 □치조골재생술 □발치 □치은절제술 □치관연장술
□유리치은/상피하결합조직이식술 □조직유도재생술 □기타( )

1. 치주수술의 목적 및 효과
치주염이 발생하면 불편감, 통증을 유발함은 물론, 치아를 지지하는 치조골이 파괴되어 결국 치아를 잃을 수 있습니다. 치주염을 치료하고 치아를 유지할 목적으로 다양한 방법의 치주치료가 행해지고 있으며, 또한 이상적인 보철수복이나 보다 심미적인 보철 수복을 위한 치주수술이 시행되고 있습니다.

2. 수술 과정 및 방법, 부위 및 추정 소요시간
치주수술은 치은에 절개를 가하여 염증 조직 제거와 필요한 경우 뼈이식, 잇몸 이식 등을 동반하여 봉합하는 과정으로 진행되며, 치주염의 진행 정도에 따라 치료의 방법이 결정됩니다. 수술부위는 치아와 치아 주위조직을 포함하며, 수술에 따른 소요시간은 다양하지만, 보통 1시간 정도의 시간이 소요됩니다.

3. 발현 가능한 합병증의 내용, 정도 및 대처방법
수술 후, 2~3일에서 1주일 정도는 불편감이나 통증이 지속될 수 있으며, 감염, 치아나 신경손상, 상악동 천공, 치은퇴축, 추가적인 발치나 처치의 가능성, 구강 외 상처 가능성 등이 존재하며, 의료진은 매 수술마다 설명과 주의사항을 환자에게 주지시킴으로써 이러한 가능성을 줄이도록 노력하고 있습니다.

4. 수술 관련 주의사항
지혈을 위한 거즈는 1시간 이후 제거 가능하고, 술 후 1주일은 심한 운동이나, 음주, 흡연, 사우나 등을 삼가야 하고 유동식 섭취를 권장합니다. 필요에 따라 투약과 주사 등이 처방될 수 있습니다.

5. 수술 방법 변경 및 수술 범위 추가 가능성
수술 도중, 임상 및 방사선 검사 상 확인하지 못한 병소의 발견 시, 수술 방법의 변경이나 범위의 확대가 가능하며, 술 후 불편감이나 통증의 잔존, 상악동 천공이나, 하악신경 손상과 같은 부작용이 있을 경우, 추가적인 관리와 치료가 필요할 수 있습니다.

6. 선택할 수 있는 다른 치료방법
환자의 상태에 따라 주치의가 최적의 수술방법을 결정하며, 다른 치료방법의 적용 시 같은 효과를 기대하기 어렵습니다.

7. 실시하지 않을 경우 발생 가능한 결과
치주염을 그대로 방치할 경우, 전반적인 치조골 소실과 치은부종, 출혈이 발생할 수 있고, 심할 경우 발치까지 진행될 수 있으며, 전신건강에도 악영향을 끼칠 수 있습니다.

8. 성공률
적절한 구강위생관리와 주기적인 치과 내원이 병행된다면 치주치료는 상당히 높은 성공률을 보여줍니다.

설명의사: (서명) 201 년 월 일

환자의 병력과 특이상태 (기도이상 유무, 알레르기, 흡연여부, 특이체질, 출혈소인, 당뇨병, 심장질환, 고 · 저혈압, 호흡기질환, 마약사고, 신장질환, 복용약물, 기타)
□유: ____________
□무: (위의 기왕력 혹은 현재상태 해당사항 없음) □미상: ____________

본인은 환자에 대한 수술의 필요성, 내용, 예상되는 합병증, 후유증 등에 대하여 설명을 듣고 충분히 이해하였으며, 본 수술을 통하여 정신적, 신체적 변화가 불가항력적으로 야기될 수 있음과 우발적인 사고의 발생 가능성에 대하여 설명을 듣고 충분히 이해하였습니다. 환자의 특이상태를 성실히 알렸으며, 이러한 수술 과정 및 질병의 처치에 대하여 의학적 판단을 주치의에게 위임할 것을 자발적으로 결정하였습니다.

동의인(□환자, □대리인) 성명: (서명) 201 년 월 일

8. 치주수술 동의서

환자의 권리와 치과의사의 설명 및 주의의 의무를 위해 수술 전 동의서 작성이 필요하다.

9. 처방전 작성 예시

치주치료 전, 후 또는 필요시 적절한 감염관리를 위해 항생제, 소염진통제, 소화제 등의 약을 처방할 수 있어야 하고, 처방에 필요한 용어에 익숙하여야 한다.

치주질환에 흔히 처방되는 항생제 종류와 처방 용량이 참고자료로 제시되어 있다.

참고

처방전 작성 예시

Augmentin 625 mg, Ibuprofen 200 mg p.o. t.i.d for 3 days

치주질환 치료에서의 항생제 사용

종류	약제	주요 특징
Penicillin*	Amoxicillin	광범위한 항생작용: 구강 흡수 우수: 전신적 사용
	Augmentin⁺	penicillinase 미생물에 효과적임: 전신적 사용
Tetracyline	Minocycline	넓은 범위의 미생물에 효과적임: 전신적 사용과 국소 적용(치은연하)
	Doxycyline	넓은 범위의 미생물에 효과적임: 전신적 사용과 국소 적용(치은연하)
		숙주 방어 작용을 위해 화학 치료 시 항생제 용량 이하로 사용(Periostat)
	Tetracyline	넓은 범위의 미생물에 효과적임
Quinolone	Ciprofloxacin	그람음성간균에 효과적임: 건강과 관련된 세균층 증가
Macrolide	Azithromycin	염증 부위에 집중, 전신적 사용
Lincomycin derivative	Clindamycin	penicillinase 알러지 환자에 사용: 혐기성 세균에 효과적임, 전신적 사용
Nitroimidazole⁼	Metronidazole	혐기성 세균에 효과적임: 전신적 사용과 겔 형태의 국소 적용(치은연하)

* 적응증: 국소적 급진성 치주염, 전신적 급진성 치주염, 전신 질환과 연관된 치주염, 난치성 치주염

⁺ Amoxicillin and clavulanate potassium

⁼ 적응증: 국소적 급진성 치주염, 전신적 급진성 치주염, 전신 질환과 연관된 치주염, 괴사성 궤양성 치주염

치주질환 치료를 위한 일반적인 항생제 처방*

		용량	용법/간격
단독약제	Amoxicillin	500 mg	8일 동안 매일 3번씩
	Azithromycin	500 mg	4~7일 동안 매일 1번씩
	Ciprofloxacin	500 mg	8일 동안 매일 2번씩
	Clindamycin	300 mg	10일 동안 매일 3번씩
	Doxycyline or Minocycline	100~200 mg	21일 동안 매일 1번씩
	Metronidazole	500 mg	8일 동안 매일 3번씩
복합치료	Metronidazole + Amoxicillin	각각 250 mg	8일 동안 매일 3번씩
	Metronidazole + Ciprofloxacin	각각 500 mg	8일 동안 매일 2번씩

*Data from Jorgensen MG, Slots J. Practical antimicrobial periodontal therapy. Compend Contin Educ Dent 2000;21:111

*위 용량은 환자의 병력, 치주적 진단과 항생제 시험의 검사를 통해 처방된다.

처 방 전

☑ 의료보험 □ 의료보호 □ 산재보험 □ 자동차보험 □ 기타(　　) 요양기관기호:

<table>
<tr><td colspan="2">교부 연월일 및 번호</td><td>년 월 일-제 호</td><td rowspan="4">의료기관</td><td>명 칭</td><td>치과의원</td></tr>
<tr><td rowspan="2">환 자</td><td>성 명</td><td>너 풍 치</td><td>전화번호</td><td></td></tr>
<tr><td rowspan="2">주민등록번호</td><td rowspan="2">123456-789100</td><td>팩스번호</td><td></td></tr>
<tr><td></td><td>e-mail주소</td><td></td></tr>
</table>

<table>
<tr><td rowspan="2">질병분류
기 호</td><td>K05.31</td><td rowspan="2">처방의료인의
성 명</td><td rowspan="2">나 치 주 (서명 또는 날인)</td><td>면허종별</td><td>치과의사</td></tr>
<tr><td>만성 복합치주염</td><td>면허번호</td><td>제 호</td></tr>
<tr><td colspan="6">※ 환자의 요구가 있는 때에는 질병분류기호를 기재하지 아니합니다.</td></tr>
</table>

<table>
<tr><td>처방 의약품의 명칭</td><td>1회
투약량</td><td>1일
투여
횟수</td><td>총
투약일수</td><td>용 법</td></tr>
<tr><td>Augmentin
Ibuprofen</td><td>625mg
200mg</td><td>3</td><td>3</td><td>매식후 30분후 복용</td></tr>
<tr><td colspan="4">주사제 처방내역(원내조제 □, 원외처방 □)</td><td>조제시 참고사항</td></tr>
<tr><td colspan="4"></td><td></td></tr>
</table>

사용기간	교부일부터(2)일간	사용기간내에 약국에 제출하여야 합니다.

실 습

Periodontology   

 실습 목표

1. Aseptic한 치주수술의 중요성을 이해하고, 치주수술에 사용되는 기구의 종류, 형태 그리고 치주포대 장착의 정확한 방법을 실습한다.
2. 여러 가지 봉합 방법을 실습한다.

 실습 준비물

1. 치주수술세트, surgical glove, 설압자, mixing pad
2. Needle holder, Dean scissors, 봉합사(silk), 스펀지

 실습 내용

1. Surgical glove 착용법을 익힌다.
2. Aseptic한 상태를 유지하여 치주수술 기구들을 준비하는 과정에 대하여 실습한다.
   ① 치주수술에 필요한 기구들에 대한 정확한 교육이 선행되어야 한다.
   ② 각 기구들의 위치와 준비과정에 대한 시범교육을 실시한다.
   ③ 모든 과정은 aseptic 한 상태를 유지해야 한다.
   ④ 다음 그림과 같이 수술기구들이 정렬되어야 한다.
3. 치주포대 장착 실습을 한다.
   ① 2인 1조로 편성하여 실습을 진행한다.
   ② 실습 진행 전에 각 조별 치주포대 장착에 대한 시범교육을 실시한다.
   ③ 정확한 mixing 방법과 재료의 물성에 대한 충분한 교육이 이루어져야 한다.
   ④ 1명은 피시험자가 되고 다른 1명은 시험자가 되어 교대로 실습을 진행한다.
4. 여러 가지 봉합 술식에 대하여 익힌다.
   ① 준비한 스펀지에 절개선을 만든 후 봉합한다.
   ② Interrupted suture, figure of eight, mattress suture(horizontal and vertical) 실습을 진행한다.
   ③ 각각의 knot에 대한 실습을 진행한다.

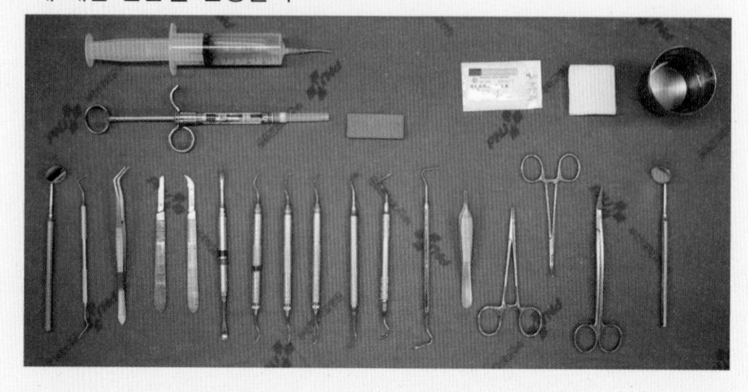

Chapter 10
치주유지관리
Periodontal maintenance (Supportive periodontal therapy)

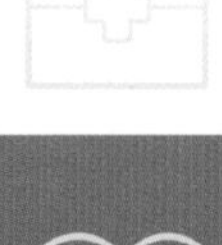

실습목표

- 전문적인 치주유지관리 프로그램을 통해 치주질환 및 전신질환의 포괄적인 건강을 유지하고 관리할 수 있다.
- 전신질환 및 구강질환의 변화를 시의적절하게 발견하고, 환자에게 설명할 수 있다.
- 치주 및 임플란트 검사를 수행하여, 이전(baseline) 대비 변화를 기록하고 평가할 수 있다.
- 환자에게 스스로 구강위생상태를 자각시키고 치주질환의 원인인 치태(치면세균막)의 조절이 필수적임을 교육할 수 있다.
- 치은연상 및 연하 치석을 제거하기 위해서 치석제거술을 시행할 수 있다.
- 활동성 염증의 징후를 동반한 치주낭을 제거하기 위해 치근활택술을 시행할 수 있다.
- 보철적, 보존적 처치 및 타과 협진이 필요한지 결정하고 의뢰할 수 있다.
- 환자의 전신질환과 치주질환의 상태에 따라 치주유지관리를 위한 재방문간격 결정할 수 있다.

핵심평가요소

- 현증에 대한 과거병력을 정확히 확인하고 명확한 의무기록을 작성하는가?
- 환자의 전신상태, 특수 장애를 포함하여 적절한 치료계획을 수립하는가?
- 구강병소와 관련된 전신증상을 정확히 파악하고 명확한 의무기록을 작성하는가?
- 타과 의뢰 여부 판단 후, 적절한 타과 의뢰지를 작성하고 의뢰를 시행하는가?
- 치태검사, 치석검사를 수행할 수 있는가?
- 치은지수를 측정할 수 있는가?
- 치은 퇴축, 치주낭 측정(치근이개부 포함) 및 부착수준 검사를 수행할 수 있는가?
- 동요도 및 교합성 외상 검사를 수행할 수 있는가?
- 전동식 및 수동식 기구를 사용하여 적절한 치석제거술 및 치근활택술을 시행하고 있는가?
- 치태조절교육 및 평가를 위하여, 객관적인 치태지수를 측정하고 있는가?
- 구강 위생 교육을 위해 적절한 도구와 잇솔질 방법을 제시하는가?

1. 용어

Supportive periodontal therapy 유지치주치료 (1989, 미국치주과학회 제정)
→ Periodontal Maintenance 치주유지관리 (2000, 미국치주과학회 개정)

2. 정의

적극적인 치주치료의 완료 후, 치주건강을 유지하고 관리하는 모든 과정

3. 목적

치주질환 및 전신질환에 대한 포괄적인 건강 유지 관리

4. 치주유지관리의 목표

(1) 치주질환 재발의 방지
(2) 치아 상실률 및 부착 상실의 감소
(3) 임플란트주위염의 예방 및 치료
(4) 전신질환 및 다른 구강내질환의 시의적절한 발견

5. 치주유지관리의 근거

(1) 치석제거술, 치근활택술 혹은 치주수술 후 약 3개월 후에 미생물의 재집락화를 보임.

(2) 정기적인 치주유지관리시 치주염 재발률이 줄어듬.

(3) 정기적인 치주유지관리를 하지 않는 경우, 더 많은 치아 상실 및 부착 상실을 보임.

(4) 치주염 환자가 스스로 치태 조절을 효과적으로 하는 경우가 거의 없으므로, 전문적인 치주유지관리 프로그램이 필요함.

(5) 임플란트 및 보철물의 치주적 유지 및 정기적인 모니터링이 가능함.

6. 치주유지관리의 내용

(1) 의과적, 치과적 병력의 업데이트: 전신질환 및 구강내, 구강외 연조직 검사

(2) 치주 및 임플란트 평가: 이전(baseline)대비 변화 평가 및 활동성 기록

(3) 구강위생 검사, 치태조절 교육 (plaque control instruction)

(4) 치석제거(scaling): 모든 치면, 치은연상 및 연하의 치석 제거

(5) 선택적인 치근활택술(root planing): 활동성 염증의 징후를 보이는 치주낭 제거

(6) 치주적 재치료 혹은 보철적, 보존적 술식의 필요성 결정

(7) 방문 간격 결정: 보통 3개월, 최소 6개월을 넘지 않아야 함

7. 치주유지관리의 실제

(1) 전신병력과 치과병력의 변화 파악

(2) 임상 검사: 치료 완료시와 정기적인 maintenance시의 상태 비교

A. Extraoral and intraoral examination: 구강내 연조직, 구강암

B. Dental examination: 교합, 우식, 보철, 교정적 문제 고려

C. Periodontal examination

① Probing depths

② Bleeding on probing

③ 전반적인 치태 및 치석 수준 평가

④ 치은퇴축

⑤ 치근이개부 병변

⑥ 치아 동요도 및 교합 검사

⑦ 통증 및 농(exudate)

⑧ 보철 및 abutment 요소 평가

⑨ 임플란트 stability 평가

(3) 방사선학적 검사

A. 치조백선, 수복물의 상태, 치근파절, 우식, 치근 주위 치조골의 상태, 치근이개부 병변, 치석, 근첨병변의 유무 등 평가

B. 환자의 요구, 질병의 상태, 임상가의 판단에 따라 다름

C. X선 사진 촬영의 간격의 예시

① 2년: 일반적인 치주질환

② 1년: 중등도 치주염, 광범위한 치주보철, 치주지지가 저하된 소수치 잔존

③ 6개월: 문제가 있는 부위

(4) 평가

환자의 구강위생 상태, 치태조절 능력

(5) 치료

A. 행동 조절

① 구강 위생 교육(Oral hygiene instruction)

② 제시된 유지프로그램 소환 간격에 대한 순응도

③ 위험요소 조절 및 카운슬링 (예: 금연)

B. 치태조절, 치석 제거 및 선택적 치근활택

C. 필요시 항생제 처방

D. 재발시 외과적 치주치료

(6) 소통: 환자에게 현재 상태 고지, 필요시 부가적인 치료 필요성 설명, 의과적 질환 발견시 의료 전문가와 상담 권유

(7) 체계적 치주유지관리를 위한 재방문 간격 (Merin 분류법)

A. 대부분 환자의 경우 첫 1년간은 3개월을 지킬 것.

B. 1년 이후 치주유지관리를 위한 재방문 간격의 변화

재방문 환자의 분류에 따른 재방문 간격

Merin 분류법	특징	재방문 간격
첫해 환자	첫해 환자–일상적인 치료와 정상적인 치유	3개월
	첫해 환자–불량 보철물, 이개부 병소, 치관대 치근의 불량한 비율, 환자의 협조가 불량한 경우	1~2개월
Class A	1년 또는 그 이상 잘 유지되어 양호한 결과인 경우 양호한 구강위생, 소량의 치석, 교합이나 보철물에 문제가 없고, 잔존치주낭이 없거나 잔존 치조골이 50% 이하인 치아가 없는 경우	6개월~1년
Class B	1년 또는 그 이상 양호한 결과가 잘 유지되지만 다음과 같은 요인이 있는 경우 1. 불량한 구강위생상태 2. 과다한 치석 침착 3. 치조조직 파괴되기 쉬운 전신질환 4. 잔존 치주낭 5. 교합문제 6. 불량한 보철물 7. 진행 중인 교정치료 8. 재발성 치아우식증 9. 치조골이 50% 이하인 치아가 약간 있음 10. 흡연 11. 유전 검사의 이상	3~4개월 (부정적 요인의 수나 심도에 따라 재방문 기간을 결정)
Class C	치주치료 후 불량한 결과 또는 다음과 같은 부정적 인자가 있는 경우 1. 불량한 구강위생상태 2. 과다한 치석 침착 3. 치주조직이 파괴되기 쉬운 전신질환 4. 잔존 치주낭 5. 교합문제 6. 불량한 보철물 7. 재발성 치아우식증 8. 치주수술이 필요하였으나 전신적, 정신적, 경제적인 이유로 시행하지 않은 경우 9. 치조골이 50% 이하인 치아가 다수 10. 치추주술로 개선되기 힘들 정도의 상태 11. 흡연 12. 유전 검사의 이상 13. 탐침 시 출혈을 보이는 치주낭이 20% 이상	1~3개월 (부정적 요인의 수나 심도에 따라 재방문 기간을 결정: 재치료를 고려하거나 심한 치아의 발치를 고려)

(2015, 6판 치주과학 교과서 54장 유지치주치료, 표 54-2)

»» 실 습

Periodontology   

 실습 목표

1. 치태 착색제 (disclosing agent)를 이용하여 환자 스스로가 자신의 구강위생 상태를 알도록 자각시킬 수 있다.
2. 치주유지관리 방문시, 구강위생 지표로 사용되는 O'Leary Plaque Index (PI)를 이해하고 작성할 수 있다.
3. 치주유지관리 방문별 O'Leary PI의 변화 측정을 통해서, 환자가 구강위생 상태의 변화를 인지하고, 효과적인 치주유지관리에 동기를 부여할 수 있다.

(1) 치태 착색제의 종류

- Iodine, erythrosin, bismark brown, combination of erythrosin and bismark brown, sodium fluorescein, mercurochrome 등

(2) O'Leary Plaque Index(PI)

- 치태와 치은염과의 관계는 1965년 Loe 에 의해 처음으로 정립됨. 7년 후에 O' Leary는 치태의 위치와 양을 나타내기 위한 가장 유용하고 널리 사용되는 지수를 개발함(Journal of Periodontology, 1972). 환자의 치태 관리 능력을 나타내기에 유용한 O' Leary 지수는 실행하기 쉽고 경제적이며 재현성이 좋음.

 실습 준비물

진단세트(미러, 핀셋, 치주탐침), Disclosing agent, 칫솔, 치실, 3% H_2O_2 (3%, cotton ball)

 실습 방법

① 먼저 환자는 음식 찌꺼기를 제거하기 위해서 물로 구강 내를 씻어낸다.
② 착색 용액을 이용해 모든 치아의 치태를 착색한다.
③ 구강 내를 물로 한두 번 헹군다.
④ 술자는 눈으로 혹은 치주탐침의 끝부분을 이용하여 착색된 치태의 축적물을 확인한다.
⑤ 구강 내 치아 표면을 해부학적 선을 기준으로 근심, 원심, 협면, 설면의 네 부분으로 나눈다.
⑥ 모든 탈락된 치아는 횡선을 그어 표시하고, 남은 치아의 수를 결정한다. 고정성 보철물과 임플란트의 가공치도 자연치와 같은 방법으로 점수를 매긴다.
⑦ 착색된 치면을 O'Leary PI 표에 표시한다. 환자에 대한 시각적 각성 효과를 증가시키기 위해 빨간

연필이나 펜으로 모든 치면을 칠한다.

⑧ Plaque score를 구한다. 검사한 치면의 점수를 모두 합하고 그 합을 가공치와 임플란트를 포함한 모든 치아의 수로 나눈 후 %로 나타내기 위해 100을 곱한다. 환자의 개선상태를 평가하기 위해 나중에 환자가 재내원 했을 때의 점수 및 그래프로 비교한다.

⑨ 착색된 치면과 Plaque score를 바탕으로 환자에게 구강위생 상태를 자각시키고 구강위생 교육을 실시한다.

$$\text{O'Leary Plaque Index} = \frac{\text{Number of stained surfaces}}{\text{Total number of surfaces}} \times 100(\%)$$

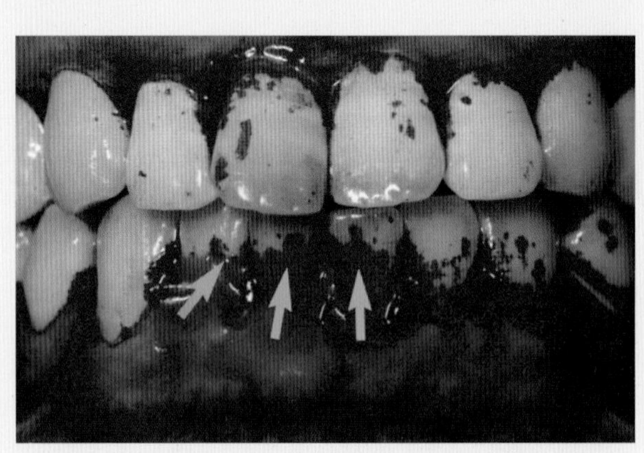

위 그림은 disclosing agent에 의해 착색된 치면을 보여준다. 화살표로 표시된 부분에서와 같이 하악전치부 순측면에 plaque이 많이 침착된 것을 볼 수있다.

방문별 O' Leary Plaque Index 변화 측정

O' Leary Plaque Index(%)

Visit	1st	2nd	3rd	4th	5th	6th
100						
90						
80						
70						
60						
50						
40						
30						
20						
10						
0						

$$\text{O' Leary Plaque Index} = \frac{\text{Number of stained surfaces}}{\text{Total number of surfaces}} \times 100(\%)$$

1st visit Date ______________

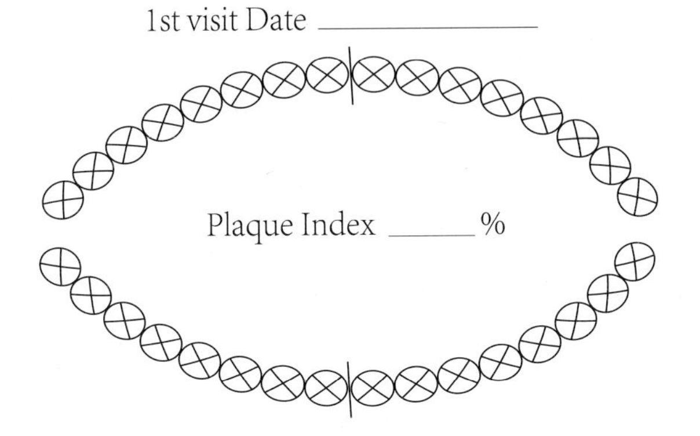

2nd visit Date ______________

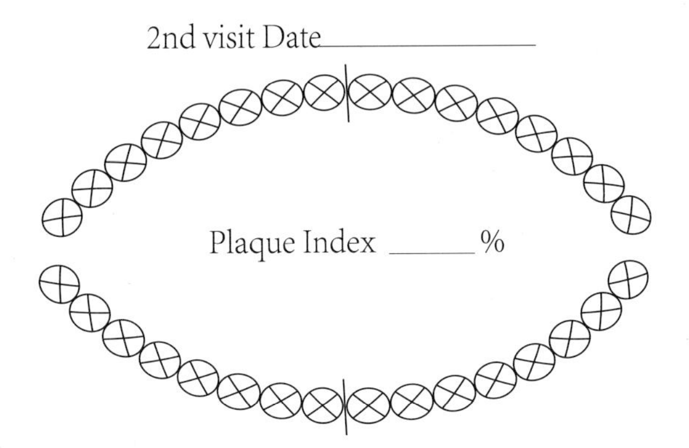

3rd visit Date ______________

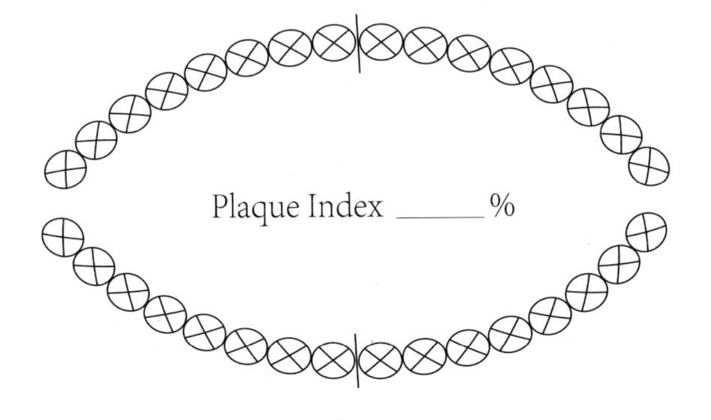

4th visit Date ______________

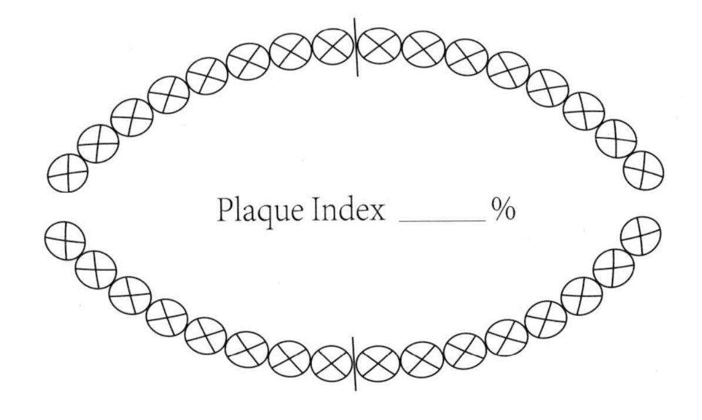

5th visit Date ______________

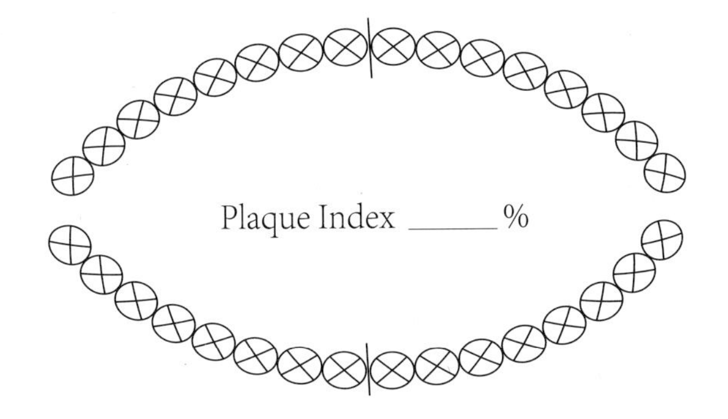

6th visit Date ______________

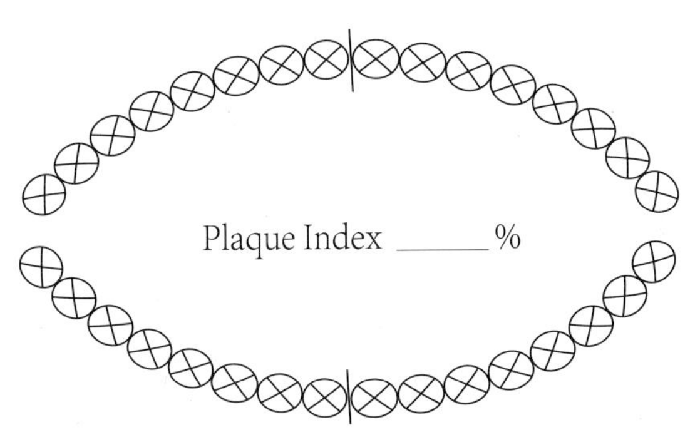

방문별 O' Leary Plaque Index 변화 측정

O' Leary Plaque Index(%)

Visit	1st	2nd	3rd	4th	5th	6th
100						
90						
80						
70						
60						
50						
40						
30						
20						
10						
0						

$$\text{O' Leary Plaque Index} = \frac{\text{Number of stained surfaces}}{\text{Total number of surfaces}} \times 100(\%)$$

1st visit Date ______________

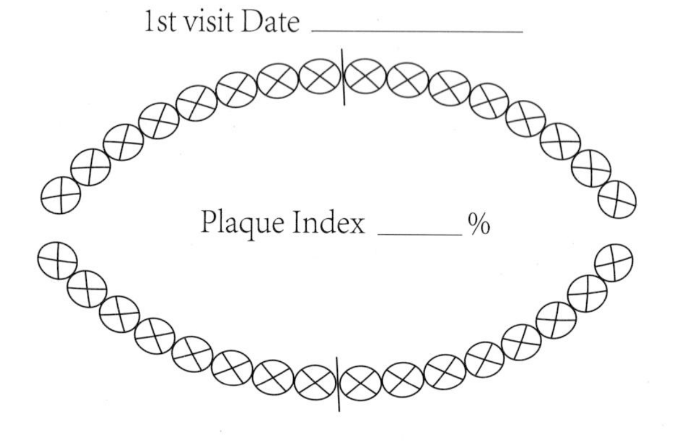

2nd visit Date ______________

Plaque Index ______ %

3rd visit Date ______________

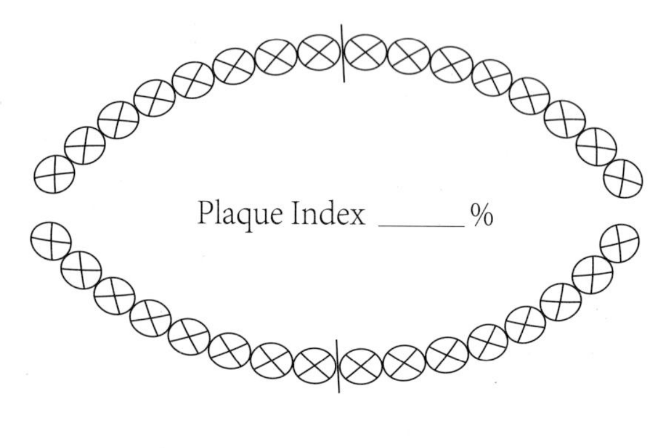

4th visit Date ______________

Plaque Index ______ %

5th visit Date ______________

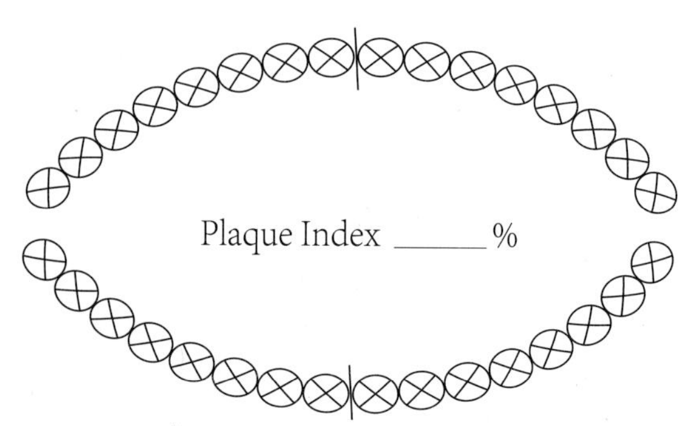

6th visit Date ______________

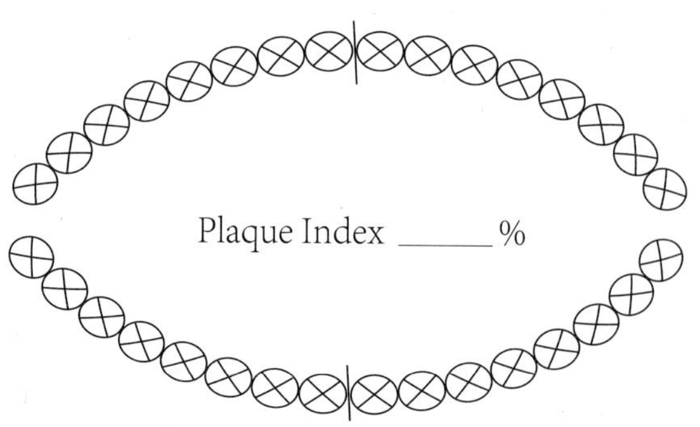

실습내용

54세 남환이 만성 중증도 치주염으로 진단을 받고, 치주 및 임플란트 치료 계획 수립에 따라 비외과적 및 외과적 치주 치료를 마친 후 , 첫번째 치주유지관리를 위해 방문하였다. 치태조절교육을 위해 먼저 plaque index를 측정하였다

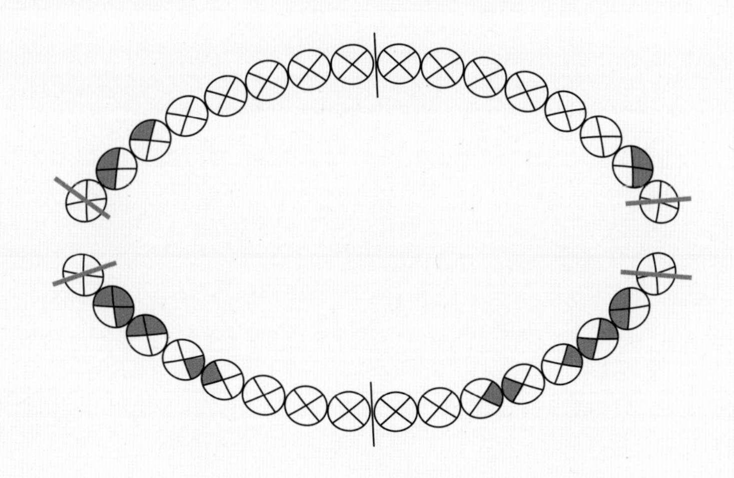

문항 1. 위 그림은 O'Leary plaque index에서 사용되는 diagram이다. Plaque score는 몇%인가?

정답: $\text{O' Leary Plaque Index} = \dfrac{\text{Number of stained surfaces}}{\text{Total number of surfaces}} \times 100(\%)$

$$= \frac{19}{28 \times 4} \times 100 = 17\%$$

Chapter 11
교합 및 치아 고정술
Occlusion and splint

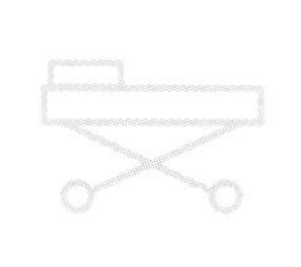

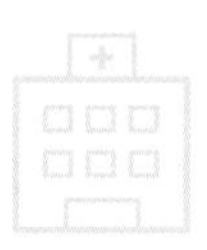

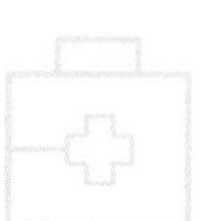

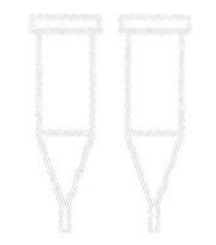

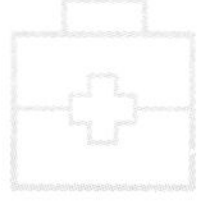

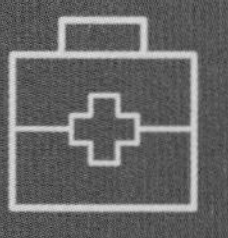

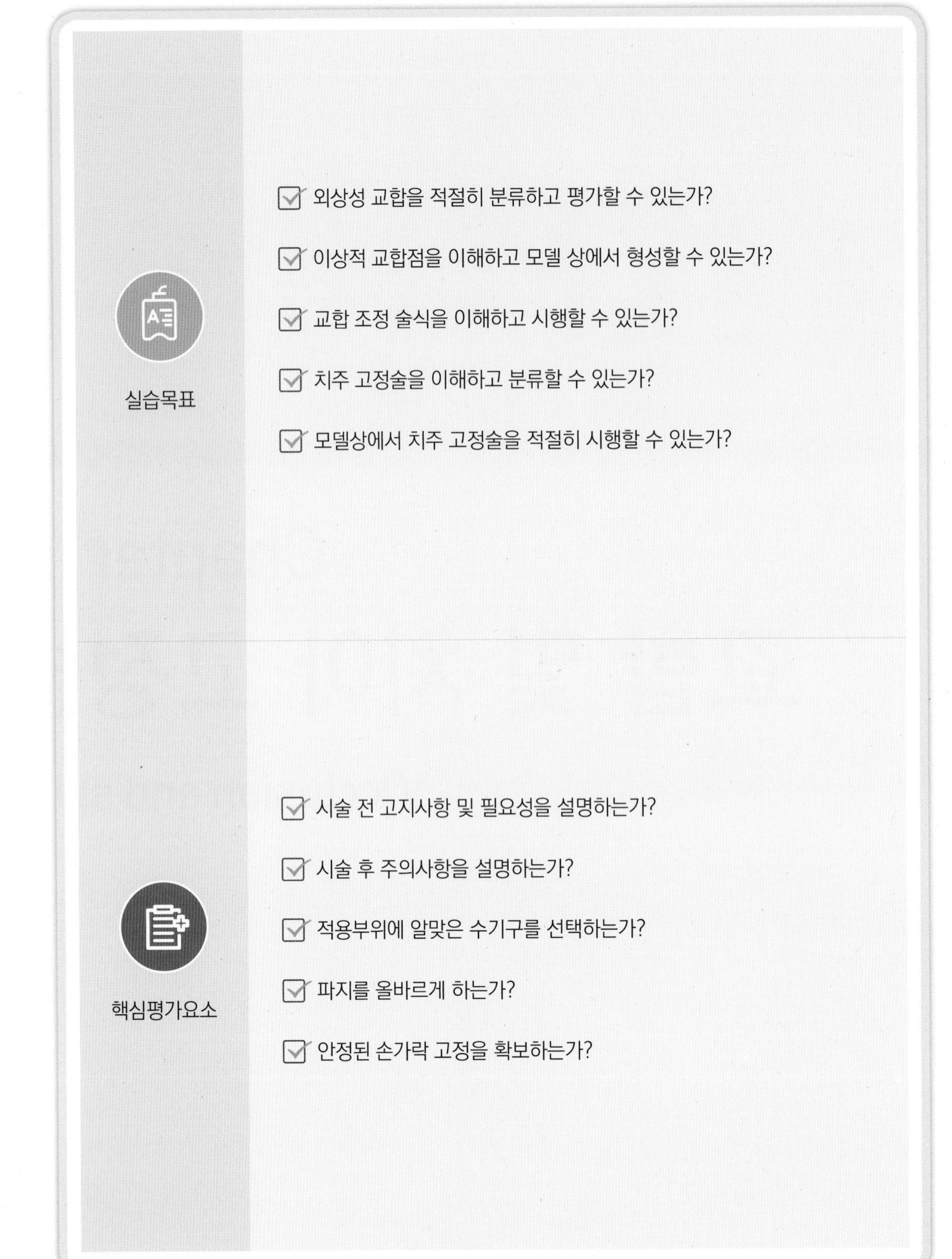
실습목표
외상성 교합을 적절히 분류하고 평가할 수 있는가?
이상적 교합점을 이해하고 모델 상에서 형성할 수 있는가?
교합 조정 술식을 이해하고 시행할 수 있는가?
치주 고정술을 이해하고 분류할 수 있는가?
모델상에서 치주 고정술을 적절히 시행할 수 있는가?
핵심평가요소
시술 전 고지사항 및 필요성을 설명하는가?
시술 후 주의사항을 설명하는가?
적용부위에 알맞은 수기구를 선택하는가?
파지를 올바르게 하는가?
안정된 손가락 고정을 확보하는가?

1. Occlusion이란?

Karolyi 등이 교합력과 치주염의 연관 가능성을 주장한 이후 교합 분석 및 조정은 기초적인 치주 치료의 한 영역으로 여겨져 왔음. 또한 최근 치주적 관점에서 교합 평가 및 조정에 대한 필요성이 증가하고 있어 이에 대한 이해가 요구됨.

교합력과 치주염의 관계에 관해서는 최근까지도 논란이 있음. 몇몇 주요 주장들을 살펴보면 아래와 같음.
i) 과도한 교합력은 치주낭 형성과 경/연조직 파괴의 직접적 원인이다.
ii) 과도한 교합력은 염증의 전달 경로를 바꾸어 골내낭 병소를 만드는 등 치주염의 악화 요인이다.
iii) 교합력에 의한 파괴는 치태-연관 치주염과 무관하다.

하지만 교합 조정이 치주 치료의 결과를 향상시킨다는 보고 등이 많고, 실제 임상에서도 불필요한 교합 간섭에 의한 환자 불편감을 해소 하기 위해 교합 조정을 적절히 시행하는 것이 필요함.

2. 교합성 외상 Trauma from occlusion

정의: 과도한 교합력에 의한 치주조직의 손상 (AAP, 1999[6])

(1) 1차성 교합성 외상 (Primary occlusal trauma)

치주조직이 정상인 치아에 과도한 교합력이 가해진 결과 일어나는 외상. I) 정상적인 골 수준, ii) 정상적인 부착 수준, iii) 과도한 교합력 존재 하에 발생함.

(2) 2차성 교합성 외상 (Secondary occlusal trauma)

건강한 치아에서는 정상적인 교합력이지만 부착 상실이 일어난 상태의 치아에 그 교합력이 가해진 결과 일어나는 외상. I) 치조골 소실, ii) 부착 소실, iii) "정상" 또는 과도한 교합력 존재하에 발생함.

3. 치주질환에서의 일반적인 교합치료의 원칙

1) 일반적 증상

(1) 치조골 수준에 비해 과도한 동요도

(2) 방사선 사진상 치주인대강 폭경의 증가

(3) 치면상의 마모면(facet) 존재 시

2) 교합 조정의 적응증

(1) 정상 치주조직의 1차성 외상성 교합

(2) 진행된 치주질환에서의 2차성 교합성 외상

① 치아동요도의 계속적 증가

② 저작 시 불편감

③ 방사선 사진상 수직적 골파괴

3) 교합 조정의 효과

① 치아동요도의 감소

② Food packing 부위 제거

③ 교합력의 분산 및 교합 시 동통 감소

④ 저작 효율 증대

4. 과대 치아동요도에 대한 치료

1) 최근의 개념

(1) 증가된 치아동요도나 계속적으로 증가하고 있는 치아동요도는 건강하면서 퇴축된 치주조직에 아무 영향을 미치지 않는다.

(2) 치아 과대 동요도하에서도 치주염증이 존재하지 않는 한 치조골의 재생은은 현저히 일어난다.

(3) 증가된 치아동요도는 실험적 치주염의 진행에 영향을 미치지 않는다.

(4) 과대 동요 치아는 결손부의 수복치 치료에 있어서 부분 및 전악 계속금관가공치의 지대치로 장기간 사용될 수 있다.

참고

교합적 치료계획의 수립 원칙

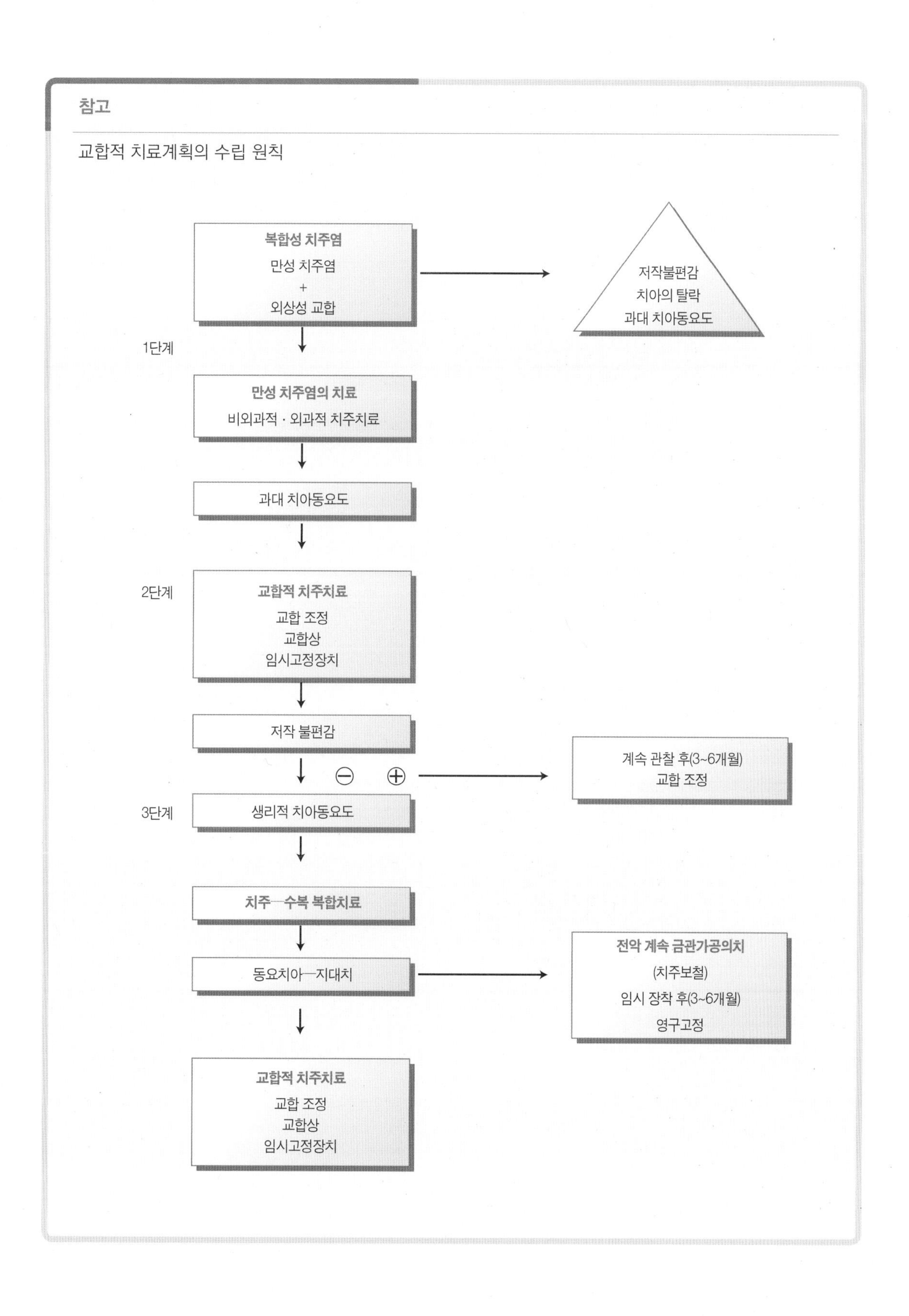

5. 이상적 교합점의 이해

기능적 교두와 비기능적 교두, 중심와의 이상적 위치를 확인하자.

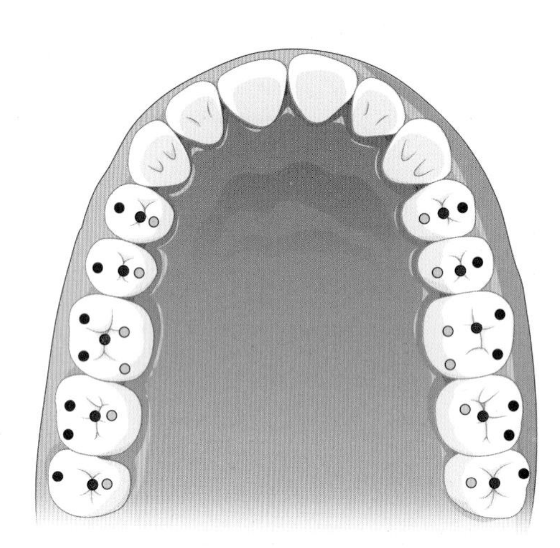

○ Functional Cusps (Working Cusps)

● Non-Functional Cusps (Balancing Cusps)

● Fossa

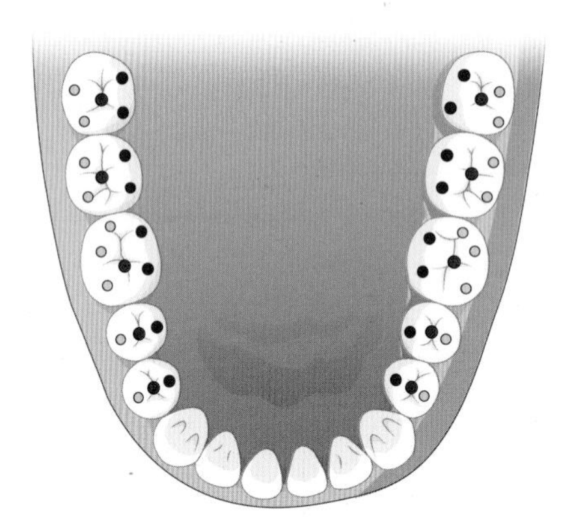

6. 교합 조정

1) 교합 조정의 원칙

(1) 안정된 교두감합위 (centric occlusion)를 확립한다.

(2) 이를 위해 기능 교두의 수직적 높이는 유지한다.

(3) 편심운동 시에도 반드시 centric holding cusp를 유지하며 조정한다.

(4) Occlusal table을 넓히지 않는다.

2) 선택 삭제의 기본(McHorris, 1985)

(1) 융기부가 아닌 함몰부를 조정한다.

(2) 희망하는 접촉점 방향으로 면적을 좁혀 나간다.

(3) 기능교두가 아닌 비기능교두를 조정하며, 기능교두끼리는 균등하게 삭제한다.

(4) 하악 전치의 절단연은 가능한 삭제하지 않고, 상악 전치의 설면을 조정한다.

(5) 교합면은 융기부를 유지하고 구면이 모인 형태를 만들어 역학적으로 유리한 교합상태를 지속시킨다.

3) 교합 조정 술식

(1) 초기삭제 (initial grinding)

① 협설측 직경의 감소

② 정출된 치아의 삭제

③ 심미성의 증진

④ 변연융선관계의 수정

⑤ 돌출 교두의 수정

⑥ 회전, 변위, 경사치의 수정

⑦ 마모치 삭제

(2) 중심위 교합에서의 교합 조정

① 원칙

a. 중심위-중심교합 간 진행 시 조기 접촉 없게 시행 (slide in centric)

b. 중심위-중심교합 간 자유운동 (freedom in centric long centric)

② 결과

a. 중심 위에서 소 대구치 간 동시성 교합접촉, 전치부는 비접촉

b. 중심교합으로 진행 시 장애나 고경 변화 없음.

c. 중심교합 시 균일 접촉, 전치부는 slight 접촉

③ 부조화 조정

a. 상악치아(제1소구치 설측 교두) 근심경사와 하악 치아 원심 교두경사 사이에 조기접촉 존재-경사 심도에 따라 상악 교두/하악 교두 경사면 삭제

b. 교두와 와(fossa) 간의 부조화 조정 : 측방이동시 교두교합 장애 시 교두조정교두의 교합장애 없는 경우에는 와를 깊게 한다.

c. 전치 간에서의 부조화 수정-하악 절단면 수정

(3) 전방위 및 전방이동 시 교합 조정

① 절단 교합관계에서 절치군 접촉 수립가능한 많은 절치의 접촉유도-상악 전치 절단면 삭제

② 전방이동 시 전치부 부조화의 수정(절치유도 수립)-전방이동시 많은 전치의 접촉(상악 견치 원심경사) 유도

a. 상악치 설측 경사면 조기접촉-상악의 절치유도 삭제

b. 상악치 설면과 하악치 순면간 긴 접촉-하악 전치 삭제

c. 이동 시 견치 원심경사에 약간의 힘 받는 정도로 수정

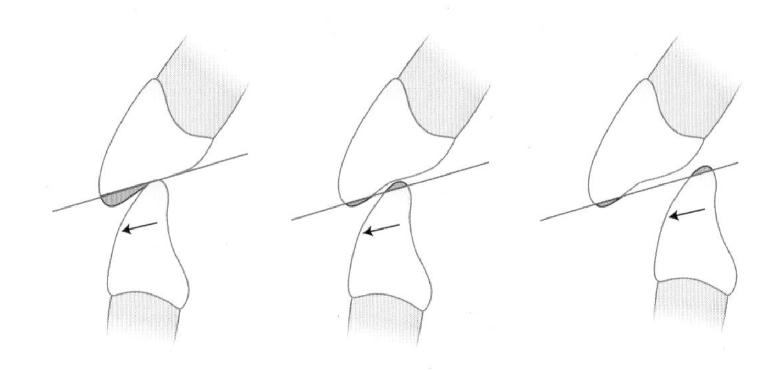

③ 전방이동 시 구치부 부조화의 수정

하악(설측) 교두의 근심경사 상악(협측) 교두의 원심경사 간 경사 심할수록 증가

- 가장 경사가 심한 면을 삭제

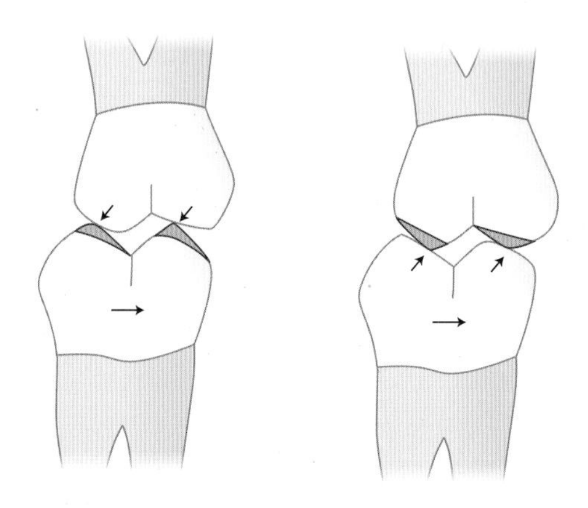

(4) 측방위 및 측방이동 시 교합 조정

① 작업측 대합치 교두경사의 부조화

a. 측방이동 시 협측 교두 접촉, 설측 교두 비접촉 시-상악 협측 교두 설측경사 삭제로 협설측 교두 모두 접촉유도

b. 협측 교두 비접촉, 설측 교두 접촉 시-하악 설측 교두 협측경사 삭제로 협설측 교두 모두 접촉 유도

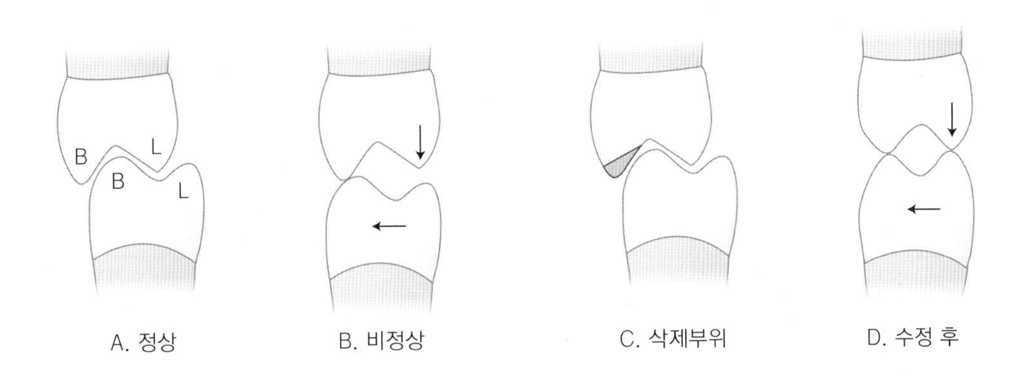

② 작업측 대합치 경사면의 부조화
교두경사는 같으나 측방이동 장애 시-상악 협측 교두, 하악 설측 교두 삭제

③ 작업측과 비작업측 간의 교두경사 부조화
비작업측의 조기접촉 제거

7. 치주 고정장치 Splint

치아가 외상을 받거나 치주질환에 의하여 동요되는 치아를 안정시키기 위해 고정하는 장치. 과거 고대 이집트에서 악골 파절 시 치아를 고정했다는 기록 이래 다양한 보고가 있었고 14세기 경 악간 고정 (intermaxillary fixation)을 시행했다는 보고가 있었음. 하지만 이후로는 관심을 받지 못하다 19세기 후반부터 다시 주목받기 시작.

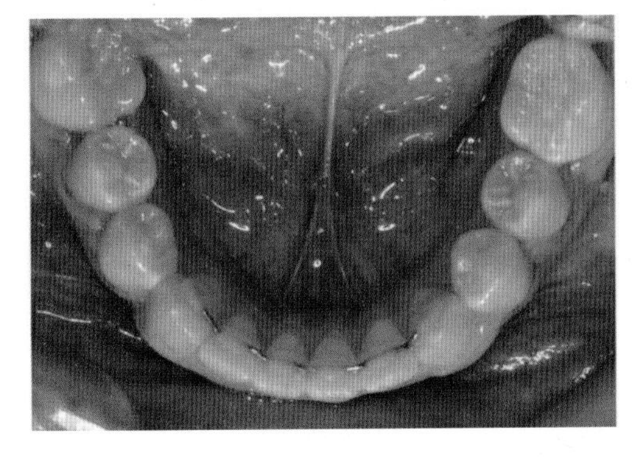

8. 치주 고정술의 2가지 주된 목적

(1) 과동요도가 있는 치아를 고정

(2) 교정적 이동 후 치아를 새로운 위치에 안정시키고 재발을 방지

9. 치아동요도의 원인

(1) 치주염으로 인한 지지조직의 양적 감소

(2) 교합성 외상으로 인한 지지조직의 양적 변화

(3) 치주염의 치료로 인한 치주조직의 일시적 외상

(4) 위 사항들을 조합

동요도가 있지만 증가하지 않는 동요치는 일반적으로 고정장치가 필요하지 않다. 그리고 교합성 외상으로 인해 동요도가 증가하는 치아는 고정장치보다는 교합조정으로 치료해야 한다.

10. 분류

1) 고정 기간에 따른 분류

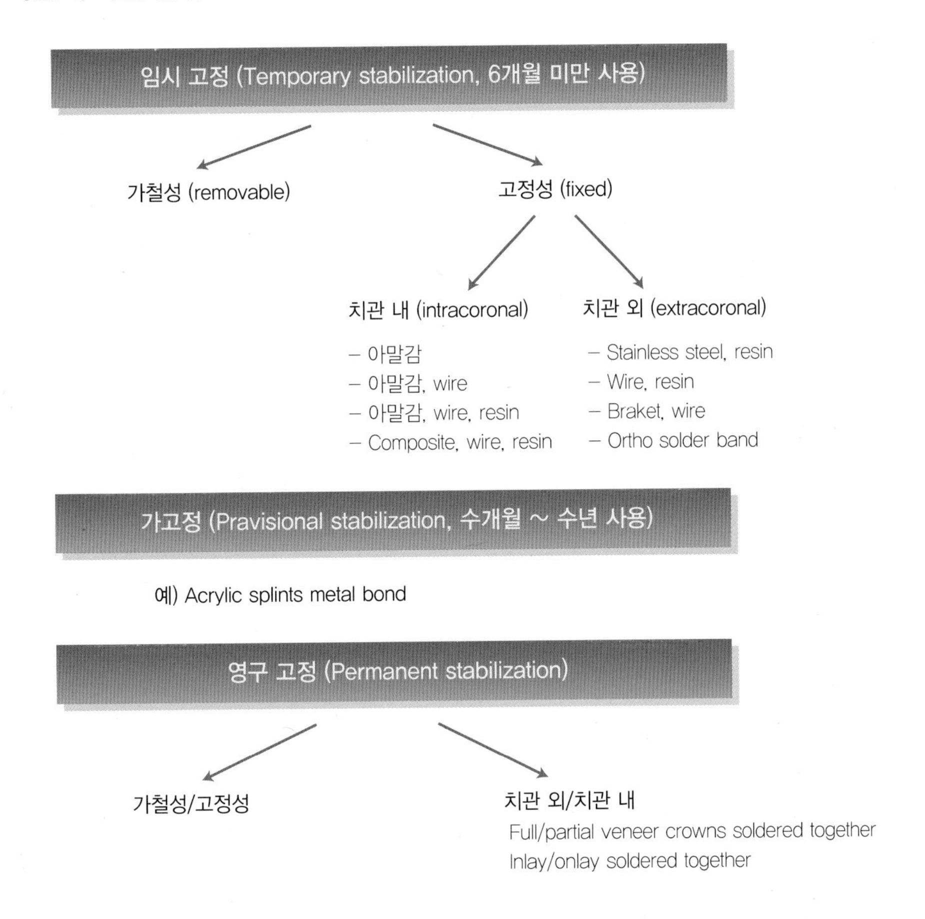

2) 재료에 따른 분류

Bonded composite resin button splint

Braided wire splint

Fiber reinforced bondable splints (예 Ribbond)

Resin (Flowable, Ortho C)

11. 치주 고정 시 고려사항

(1) 전후방에 위치한 지대치가 견고해야 함-필요하면 여러 개 치아를 이용
(2) 자극을 가능한 작게
(3) 치태조절이 가능해야 함.
(4) 심미적으로 용인될 수 있어야 함.
(5) 교합 간섭이 없어야 함.
(6) 음식물 저류가 발생해서는 안 됨.
(7) 발음을 저해하지는 않도록
(8) 견고하고 내구성이 있어야 함.

Periodontology   

실습내용 1

1) 정상 치주조직 하에 1차성 외상성 교합이 존재하는 치아 및
2) 치조골 소실 및 부착 소실로 2차성 외상성 교합이 존재하는 치아를 그림으로 그려라.

실습내용 2

Working cusp/ Balancing cusp 및 fossa를 색으로 표시하라

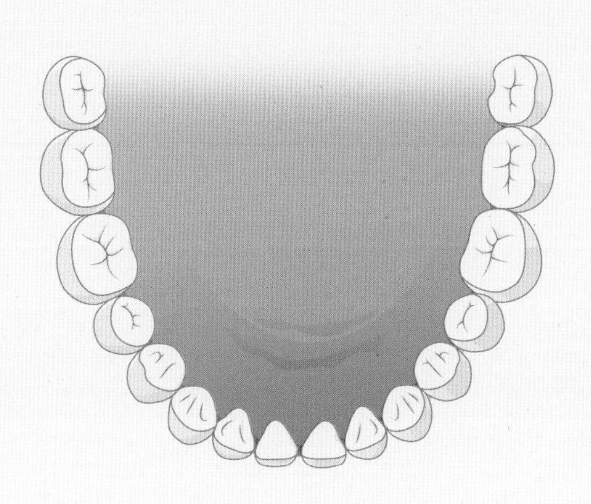

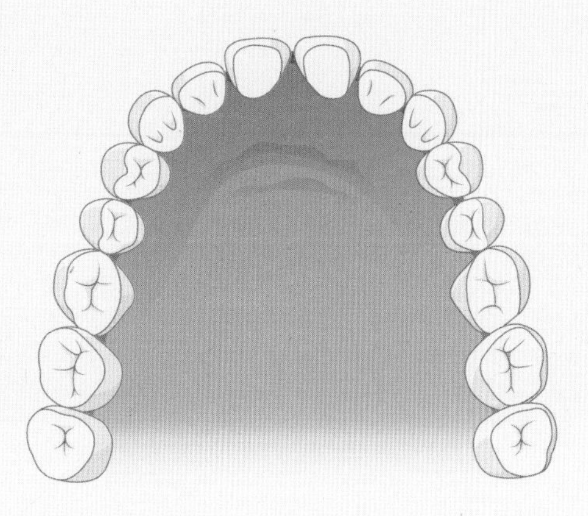